中高级汉语选修课教材

汉语口语习惯用语教程

沈建华 编著

A Course in Chinese Colloquial Idioms

北京语言大学出版社

（京）新登字 157 号

图书在版编目（CIP）数据

汉语口语习惯用语教程/沈建华编著 .
-北京：北京语言大学出版社，2004 重印
ISBN 7-5619-1192-0

Ⅰ. 汉…
Ⅱ. 沈…
Ⅲ. ①汉语-口语-对外汉语教学-教材
②汉语-社会习惯语-对外汉语教学-教材
Ⅳ. H195.4

中国版本图书馆 CIP 数据核字（2002）第 109689 号

责任印制：汪学发
出版发行：北京语言大学出版社
社　　址：北京市海淀区学院路 15 号　邮政编码：100083
网　　址：http://www.blcup.com
印　　刷：北京北林印刷厂
经　　销：全国新华书店
版　　次：2003 年 3 月第 1 版　2004 年 3 月第 2 次印刷
开　　本：787 毫米×1092 毫米　1/16　印张：13.5
字　　数：211 千字　印数：3001-6000 册
书　　号：ISBN 7-5619-1192-0/H·02139
　　　　　2003 DW 0006
定　　价：31.00 元
出版部电话：010-82303590
发行部电话：010-82303651　82303591
　　　传真：010-82303081
E-mail：fxb@blcu.edu.cn

前　言

《汉语口语习惯用语教程》是为中高级水平的汉语学习者编写的选修课教材。

编者在多年的汉语教学中常常听外国留学生抱怨说，他们在和中国人谈话或看电视、看电影时，经常遇到有些词语每个字都认识，可是放在一起是什么意思、在什么情况下使用就不清楚了，查词典也查不到。这些词语就是口语习惯用语。

口语习惯用语包括：(1)惯用语，如："不像话、开空头支票"；(2)固定格式，如："打……的主意、给……颜色看"；(3)固定句式，如："要多……有多……、还……呢"。口语习惯用语的特点是：由两个或两个以上词组成，意思不能从字面直接了解，很多有特别的语用含义，需要结合语境才能理解。一般汉语教材对口语习惯用语涉及比较少，很多口语习惯用语也没有收进词典中。

为了帮助外国留学生了解汉语口语习惯用语的意义和用法，编者留心收集了大量语料，筛选了一些常用的口语习惯用语，设计成二十个对话场景，使学生借助语境来理解习惯用语的意义和用法；同时给出简明的解释和适量的例句；还在每课后面设计了必要的练习，帮助学生加深理解。从1999年到2001年，编者在北京语言大学汉语速成学院为外国留学生开设了"汉语口语习惯用语"选修课，本书就是在这门课的讲义基础上修改而成的。本书除可作为教材外，还可供学习者自学使用。

本书共二十课，收有近500个常用的口语习惯用语。每课包括课文、注释、词语句式例释和练习四个部分。

本教材得到北京语言大学教务处的支持。

北京语言大学　沈建华

2003年1月

目　录

第一课

我自己的钱爱怎么花就怎么花

（丽华兴冲冲地跑回家来）

丽华：妈，我买了件新大衣，您瞧瞧怎么样？不错吧？刚才在商场我一眼就看上了。

妈妈：**你呀**，一发工资就**手痒痒**，在家闲不住。上个月你不是刚买了一件吗？

丽华：那件早过时了，根本**穿不出去**！这可是今年最时髦的。

妈妈：每个月就那么点儿钱，老**追时髦**你追得起吗？衣服够穿**不就得了**？**你看你，左一件，右一件**的，咱们家都能开时装店了。唉，**让我说你什么好**，我的话你怎么就是**听不进去**呀？

丽华：要是听您的，**一年到头**，出来进去老穿那两件，多**没面子**呀，我可怕别人笑话。**看人家**刘萍萍，一天一身儿，从头到脚都是名牌儿。

妈妈：她？我最看不惯的就是她，天天打扮**得什么似的**。她一个电影院卖票的，哪儿来那么多钱？要我说，那钱肯定不是好来的，你可不能跟她学。想想我年轻那会儿……

丽华：妈，您**又来了**，您那些话我都听腻了。要是大伙儿都像您似的，一件衣服新三年旧三年地穿，咱们国家的经济就别发展了，市场也别繁荣了。都什么年代了，您也该**换换脑筋**了。

妈妈：我没有你那么多新名词儿，**说不过**你。哎，这件**怎么也得**上百吧？

丽华：不贵，正赶上三八节打折优惠，才 460 块。

妈妈：我的天！460 块还是优惠价？我一个月的退休金才 500 块！你也太……

丽华：我自己的钱，**爱**怎么花**就**怎么花，别人管不着。

妈妈：像你这样大手大脚惯了，将来成家了可怎么办？还不得**喝西北风**啊？

丽华：我呀，要么找个大款，要么就不结婚，我在您身边伺候您一辈子。

妈妈：你？**说得比唱得还好听，不定**是谁伺候谁呢。丽华，妈不是不让你打扮，可你眼下最要紧的是多攒点儿钱，找个好对象，把婚结了，等以后有条件了再打扮、再穿也不晚哪。

丽华：**看您说的**，现在不打扮，等七老八十了再打扮，谁看哪！我才不那么傻呢。

妈妈：唉，我说什么你都当成**耳旁风**。老话儿说得好：不听老人言，吃亏在眼前。现在你不听我的，将来可没你的**后悔药**吃，该说的我都说了，你**爱**听**不**听吧。对了，一会儿你爸爸回来，别跟你爸爸说多少钱，他要是跟你发火儿，我可不管。

丽华：我才不想听他给我上课呢，他**那一套**我都会背了。您放心，我有办法，他要是问哪，我就说这是处理品，大甩卖，便宜得要死，只要 60 块。

注　释

1. 闲（xián）不住：指不能没有事情做，没有事情做受不了。
2. 新三年旧三年：这是从俗话“新三年旧三年，缝缝补补（féngféngbǔbǔ sew and mend）又三年”来的，意思是很节省、节俭（economical），一件衣服穿很多年。
3. 三八节：每年的三月八日是妇女节。
4. 大款（kuǎn）：指非常有钱的人。
5. 伺候（cìhou serve）：指在某人身边照顾、关心这个人的日常生活。
6. 老话儿：指俗话（proverb）。
7. 不听老人言，吃亏（kuī suffer losses）在眼前：这是一句俗话，意思是老人有经验，如果不听他们的话，马上就会吃亏、受损失（sǔnshī loss）。
8. 处理品（chǔlǐpǐn）：常指因质量不好所以减价卖出的东西。
9. 大甩（shuǎi）卖（markdown sale）：商店（常常在节假日或特别的日子）减价卖东西。

例　释

1. **你呀**（nǐ ya），一发工资就手痒痒

只在对话中用，表示说话人对对方的不满或责怪。

It is used in conversation only, indicating that the speaker is dissatisfied with the person whom he is talking with.

(1) 你呀，怎么不早点儿告诉我，让我白跑了一趟。

(2) 你的屋子真脏，一个星期都没打扫了吧？你呀！

2. 一发工资就**手痒痒**（shǒu yǎngyang）

因为喜欢，所以很希望亲自（用手）做某事。还可以说"脚痒痒"、"嗓子痒痒"、"心里痒痒"等。

The literal meaning is that hands itch, but in fact it means someone is eager to do something (with his/her hands). We can also say "脚痒痒", "嗓子痒痒", "心里痒痒", etc.

(1) 刚学会开车那会儿，我一看见车就手痒痒。

(2) 看见小王他们打乒乓球打得那么高兴，小李的手也痒痒了。

(3) 我哥哥特别喜欢踢足球，看见足球他的脚就痒痒，就想踢。

(4) 看见他们马上要出发去旅行了，我的心里怪痒痒的，真希望自己也能去。

3. 那件早过时了，根本**穿不出去**（chuān bu chūqù）

因为衣服不好看、不流行或不合适等原因不好意思穿，怕让别人看见笑话。

Because clothing is not good-looking, not fashionable or not suitable, someone does not want to wear it outside, he/she is embarrassed that someone else will laugh at him/her.

(1) 这种衣服太薄了，又那么紧身，哪儿穿得出去呀？

(2) 旗袍（cheongsam）确实很漂亮，可穿旗袍一定得有个好身材（stature），我这么胖，哪儿穿得出去呀？

4. 老**追时髦**（zhuī shímáo）你追得起吗

穿最流行的衣服或做最流行的事，也说"赶时髦"。

Follow the fashion. Also, "赶时髦".

(1) 演唱会上歌星们那五颜六色的头发很是引人注目，很快，追时髦的年轻人也都把头发染成了各种颜色。

(2) 看见厚底鞋很流行，我们办公室的老李也赶起了时髦，买来了一双。

(3) 近两年，跆拳道（táiquándào taekwondo）在北京慢慢儿成了时髦的运动，我们这儿不少女孩子也追时髦，练起了跆拳道。

5. 衣服够穿**不就得了**（bú jiù dé le）

用反问的语气表示“就行了，就可以了”，常常带有不满或不耐烦的语气。也可以说“……不就行了”。

It is a rhetorical question indicating “OK, all right; it's good enough.” This kind of sentence often implies that the speaker is dissatisfied or impatient. Also, “……不就行了”.

(1) “报告的最后一段我还没写完呢，怎么办？”“回去把它写完不就得了？”老张不耐烦地说。

(2) 你有什么话直接告诉他不就行了？干吗非让我转告？

(3) 要是我去你不放心的话，你自己去不就得了？

6. **你看你**（nǐ kàn nǐ），左一件，右一件

只在对话中用，表示对对方的不满、埋怨或批评。

It is used in conversation only and it indicates the speaker's dissatisfaction or criticism.

(1) 你看你，冷成这个样子，来，到暖气这边儿暖和暖和。

(2) 你看你，整天就知道看书，别的事什么也不会。

(3) 你看你这急脾气，先让他把话说完嘛。

7. **左一**（zuǒ yí）件，**右一**（yòu yí）件的，咱们家都能开时装店了

表示数量很多。

This pattern indicates a considerable amount.

(1) 你左一本右一本的，买那么多法律书干什么？

(2) 他左一次右一次地骗（piàn cheat）你，你怎么还相信他呀？

(3) 我不小心踩了人家的脚，所以赶紧左一个“对不起”，右一个“真抱歉”地表示道歉。

(4) 知道儿子没考上大学以后，老王很生气，左一句“没本事”，右一句“没出息”，把儿子骂哭了。

8. **让我说你什么好**（ràng wǒ shuō nǐ shénme hǎo）

这句话的意思是说话人太不满对方了，以至于不知道用什么话来批评对方。

This sentence means the speaker is so dissatisfied with the person whom he is speaking with that he cannot find proper words to express his dissatisfaction.

(1) 妈妈说："学生证又找不着了？让我说你什么好，东西老是乱放，没个地方。"

(2) 听说我骑车又跟别人撞上了，腿上还受了点儿伤，奶奶说："让我说你什么好啊，告诉你多少次了，别骑那么快，你就是不听，现在知道了吧？"

9. 我的话你怎么就是**听不进去**（tīng bu jìnqù）呀

不能听取别人的意见。

Not accept other's opinion or suggestion.

(1) 他总觉得自己了不起，所以大家给他提的意见他一点儿也听不进去。

(2) 以前爸爸的话他多少还听一点儿，可现在，谁的话他也听不进去了。

也可以表示不能专心听。

It also means "someone cannot listen with concentration".

(3) 女朋友提出跟他分手后，他心里很乱，上课老师说的，他根本听不进去。

10. **一年到头**（yì nián dào tóu），出来进去老穿那两件

整年，一年从第一天到最后一天。

Whole year, from the first day of the year to the last day.

(1) 他是个大忙人（busy person），一年到头，总是在外面开会。

(2) 这些运动员一年到头，不是比赛，就是训练，只是到过年的时候才回家休息两天。

11. 多**没面子**（méi miànzi）呀

失去了体面，也说"丢面子"。

Lose face. Also, "丢面子".

(1) 当地的风俗是，人越多越好，要是婚礼上来的客人少，主人就会觉得很没面子。

(2) 昨天爸爸当着外人的面（in front of an outsider）批评他，这对他来说是最没面子的事。

12. **看人家**（kàn rénjia）刘萍萍

这个格式表示羡慕（xiànmù）、佩服（pèifu）某人。

This pattern indicates the speaker admires someone.

(1) 看人家老马的儿子，回回考试得第一。

(2) 看人家北方出版社，年年能出一两本好书。

(3) 看人家，汽车、房子、名牌时装，什么都有。

13. 天天打扮**得什么似的**（de shénme shìde）

动词 + 得什么似的 表示某一动作达到无法形容的状态。

It indicates the action is to such a degree that there is no way to express clearly.

(1) 听完了我讲的笑话，她笑得什么似的，连眼泪都笑出来了。

(2) 为这事，昨天两个人吵（quarrel）得什么似的，把孩子都吓哭了。

形容词 + 得什么似的 表示程度很高。

It indicates a very high degree.

(3) 老王说："这几天我忙得什么似的，哪儿有时间看电视啊。"

(4) 听说几个多年没见的老同学也要来，他高兴得什么似的，一大早就起来去买菜买肉，还说要亲自下厨房做几个菜。

14. 妈，您**又来了**（yòu lái le）

说话人对对方重复多次的话语不耐烦，不想再听。

The speaker has no patience with someone's repeated words, usually complains.

(1) "我每天那么辛苦不就是为了你吗？你要什么我都给你买……""又来了，烦不烦呀。"儿子不耐烦地说。

(2) 妈妈说："小强，你也太懒了，你看你这房间，还有这些脏衣服……""又来了又来了，"小强有点儿烦，"脏点儿怕什么？又没有人来参观。"

15. 您也该换**换脑筋**（huàn nǎojīn）了

改变旧的观点或思想。

Change one's old or traditional opinions.

(1) 改革开放了，社会变了，咱们的脑筋也该换换了。

(2) 种花种草也能成万元户？这我可是头一回听说，看来，我得换换脑筋了。

也可以表示改变一下思考的内容。

It also means change one's idea to do something different.

(3) 他在书房写了五千多字，为了休息，换换脑筋，他陪着妻子上山来画画儿。

16. 我没有你那么多新名词儿，**说不过**（shuō bu guò）你

（A）＋动词＋不过＋（B）　（A）不能胜过（B）。如“跑不过、比不过、打不过”等。

（A）cannot surpass（B），e. g.“跑不过”，“比不过”，“打不过”.

（1）我嘴笨，说不过他，每次都是我输（shū be defeated）。

（2）我刚开始学打网球，你都打了两年多了，我当然打不过你。

（3）你是跑得快，可你跑得再快也跑不过火车吧？

17. 这件**怎么也得**（zěnme yě děi）上百吧

（说话人估计或认为）至少需要、至少要用。

（The speaker's estimate or guess）at least.

（1）“你估计（estimate）多长时间能做完？”小林说：“我白天得上班，只能晚上干，怎么也得十天。”

（2）要是坐飞机去的话，一千块钱可不够，怎么也得三千。

（3）你说工作的时候应该努力工作，这话没错，可怎么也得让我们上厕所吧！

18. 我自己的钱，**爱**（ài）怎么花**就**（jiù）怎么花

想怎么样都可以，别人不能管或没有人管。也表示不在乎别人做什么。

One should do whatever he prefers, no one could interfere with his choice. The pattern can also mean one does not care about what other people do.

（1）孩子大了，自己有主意了，爱学什么就学什么吧。

（2）我们都这么大年纪了，别管孩子们的事了，他们爱怎么着就怎么着吧。

（3）他们爱怎么说就怎么说，爱说什么就说什么，反正我没做对不起别人的事。

19. 还不得**喝西北风**（hē xīběifēng）啊

没有东西吃，挨饿。

Have no food; starve.

（1）你把家里的钱全拿走，让我们喝西北风啊！

（2）没有办法也得想个办法，咱们总不能让全厂工人喝西北风吧？

（3）靠你一个月几十元工资，怎么够用？我要不去工作，咱们全家就得喝西北风了。

20. **说得比唱得还好听**（shuō de bǐ chàng de hái hǎotīng）

这句话的意思是说得非常好，但实际做的与说的不一致。有讽刺和不满的意思。

The literal meaning of this sentence is that one's speaking sounds more pleasant than singing; the real meaning is one's deeds do not match one's words. This sentence contains the speaker's mock and discontent.

(1) 小李说的话你也相信？他一向是说得比唱得还好听。

(2) A：你儿子不是说月月给你寄钱吗？

B：他呀，说得比唱得还好听，到现在他的一分钱我也没见到过。

21. **不定**（búdìng）是谁伺候谁呢

不能肯定，没准儿。“不定”的后面要跟“谁、什么、哪、怎么、多少、多”等表示疑问的词或肯定否定相叠的词组。

Hard to say, hard to predict. It must be followed by an interrogative word, such as “谁”, “什么”, “哪”, “怎么”, “多少”, “多”, or a phrase composed of affirmative form plus negative form.

(1) 他的文章语言很好懂，好像写起来很容易。其实，那不定改了多少遍。有时候一千多字要写两三天。

(2) 别以为坐车一定就比骑车快，看吧，不定谁先到学校呢。

(3) 你想，两家用一个厨房、一个厕所，住着不定多别扭（bièniu not convenient）呢。

22. **看您说的**（kàn nín shuō de）

在对话中用，表示说话人不太赞成或不太满意对方说的话。

It is used in conversation, indicating that the speaker disagrees with what the other person said.

(1) 小丽说：“你是不是不相信我呀？”我说：“看你说的，我怎么能不相信你呢？”

(2) 老张笑着说：“你现在是大经理了，把我都给忘了吧？”刘明也笑着说：“师傅，看您说的，我忘了谁也不能把您给忘了呀！”

(3) 我说：“不就是少找你十块钱吗？那算得了什么？别回去要了。”妻子不高兴地说：“看你说的，十块钱不是钱？你要是不想去要，我一个人去。”

23. 我说什么你都当成**耳旁风**（ěrpángfēng）

别人的劝告、批评、嘱咐等听过之后不放在心上。也说“耳边风”。

Unheeded advice. It means someone does not take other people's advice, criticism or suggestion. Also, “耳边风”.

(1) 他总是把我说的话当成耳旁风，所以现在我什么也不说了。

(2) 别人的话在他看来就是耳旁风，你说他能不吃亏吗？

24. 将来可没你的**后悔药**（hòuhuǐyào）吃

治疗后悔的药。当然世界上没有这种药。

Medicine for remorse. Of course this kind of medicine does not exist in the world.

(1) 他没有什么钱，干吗跟他结婚？世上可没有卖后悔药的，你现在要想清楚了。

(2) 早的时候我们说什么你都不听，现在怎么样？想吃后悔药了吧？晚了。

25. 你**爱**（ài）听**不**（bù）听吧

说话人对某人怎么样不在乎，他怎么样跟自己没关系，带有不满或不耐烦的语气。

The speaker does not care about what somebody does. It implies the speaker is resentful or impatient.

(1) A：小兰说她有事不来了。

B：昨天说好的，怎么今天又变了？爱来不来。没有她我们也一样玩。

(2) A：你这么批评他，他可能会不高兴的。

B：爱高兴不高兴，他做得不对，别人还不能说两句？

(3) 妻子不高兴地说：“饭我放在桌子上了，你爱吃不吃。”

26. 他**那一套**（nà yí tào）我都会背了

某种说法或做法，含有贬义。也可以说“这一套”。

A way of saying something or doing something. It is a derogatory phrase. Also, “这一套”.

(1) 听到这些，爸爸皱起了眉头（frown）：“你从哪儿学来的这一套？”

(2) 她说：“你这样做就是不对！”我火了，说：“你少跟我来这一套！就算我不对，你又能把我怎么样？”

(3) 说假话骗人那一套我可学不来，我也不想学。

练　习

一、选用下面合适的词语填空：

耳旁风　手痒痒　不就得了　喝西北风　没面子　你看你　一年到头　又来了

(1) 在过去，饺子是最好吃的东西，有钱的人也不经常吃饺子，没有钱的更是________也吃不上一顿饺子，现在生活水平高了，可以天天吃饺子了，人们倒不爱吃了。

(2) 看见小强老去玩游戏机，她就说："你应该好好学习，不能老玩游戏机。"可小强却把她的话当成________，还是天天去。

(3) 我没有什么别的爱好，就喜欢打乒乓球，两天不打球我就________。

(4) 大嫂找到大哥，说："眼看就到年底了，你一分钱也不给我，难道叫这一大家子人________呀？"

(5) "你怎么又穿这件衣服，难看死了！"妻子对丈夫说。
"你要是嫌（dislike）难看，别看________？我又没强迫（coerce）你看。"

(6) 儿子一听我说这话，就站起来说："看看，您________，这些话我都会背（recite）了！您别说了，再说我可走了。"

(7) 小时候在幼儿园里，我的外号（nickname）叫"尿床（bed-wetting）大王"，这外号人人都知道，让我很________，所以那时候很不愿意跟别的小朋友一起玩。

(8) 老王说："________，老是粗心大意（negligent），这钥匙都丢了三次了，小心下次别把你自己丢了。"

二、用所给词语完成下面对话：

(1) A：要是坐公共汽车去的话，大概得用多长时间？
B：现在是上下班时间，________。（怎么也得）

(2) 顾　客：您看我做一身衣服得要几米布？
售货员：您的个子高，________。（怎么也得）

(3) 妈妈：________________，哪儿像你似的。（你看人家）
儿子：我可不想变成个书呆子（bookworm）。

(4) 妻子：你怎么回到家什么也不干？________________。（你看人家）
丈夫：我都累了一天了，你就少说两句吧。

(5) A：你们一天去了那么多地方，累了吧？
B：可不，________________，连饭也不想吃了。（A得什么似的）

(6) 妹妹：哥哥，你先借我一百块钱，等发工资我还你二百。
哥哥：________________。（说得比唱得还好听）

(7) A：咱们明天去他家找他吧。
B：他明天________________。（不定）

(8) A：我们批评小张，他好像不太高兴。
B：________________。（爱A不A）

(9) A：你说，老王要是不同意，咱们怎么办？
B：________________。（爱A不A）

(10) A：你应该好好劝劝他，别让他老去那种地方。
B：你不知道，________________。（听不进去）

(11) A：哟，你怎么把电话线给拔下来了？
B：唉，________________，吵得我什么也干不了。
（左一A，右一A）

(12) 爸爸：小丽去哪儿了？怎么到现在还没回来？
妈妈：她跟同学出去玩了，________________。（不定）

第二课

这次考试又考砸了

（高峰来到同学周自强的宿舍）

高　峰：自强，走，吃饭去。

周自强：我一点儿胃口也没有，不想吃，你自己去吧。

高　峰：连饭都不想吃？我看你这几天干什么都没情绪，因为什么呀？

周自强：这次考试又**考砸了**。

高　峰：嗨，我还以为怎么了呢，**只不过**是一次期中考试**罢了**，至于吗？我考的还不如你呢，我还不是**照**吃**不误**，照玩儿不误？

周自强：唉，真像我爸说的，我不**是**念书的**那块料**。你看，这成绩是越来越**走下坡路**。照这样子下去，<u>高考</u>肯定**没戏**。

高　峰：离高考不是还早着呢，甭想那么远。再说，你的学习一直都不错，你要是没戏，我就更不行了。

周自强：不知怎么的，我的脑子一到**节骨眼儿**就跟木头似的。

高　峰：你就是把考试啊、成绩啊太**当回事儿**了，所以压力太大，太紧张。我跟你正好相反，考试的时候想紧张都紧张不起来。

周自强：我真羡慕你这种性格，什么事都**想得开**，脑子也聪明。

高　峰：**快得了吧**，昨天我妈还骂我**没心没肺**、没有出息呢，老师也老说我是**小聪明**，不知道用功。他们爱说什么就让他们说去吧，我才不**往心里去**呢。

周自强：你这一点我最佩服了，我可不行。

高　峰：你这个人呀，**往好里说**是认真，**往坏里说**就是爱**钻牛角尖**。

周自强：我知道这样不太好，可就是改不了啊。

高　峰：我也改不了，要不怎么说"江山易改，本性难移"呢！哎，你说老师净考那些犄角旮旯的题干吗？这不是成心**跟**我们**过不去**吗？

周自强：老师这是为我们好，让我们将来都能考上大学。

高　峰：其实，**说白了**也是为了他们自己。算了，不说了，没意思。

周自强：我现在干什么都**打不起精神来**，考得那么差，**拖**了全班的**后腿**，在同学和老师面前老觉得**抬不起头来**。

高　峰：**亏**你还是个男子汉！为芝麻大点儿的事儿至于这样吗？我得好好开导开导你。

周自强：得了，别开导我了，说说你吧，电脑考试准备得差不多了吧？

高　峰：嗨，**小菜一碟儿**，不是我吹牛，玩电脑我可是**一把好手**。那天张老师向我请教，我还给他**露了一手**呢！我现在每天都上网聊会儿天儿，可有意思了。

周自强：不瞒你说，我现在**整个一个**"机盲"。放假以后我拜你为师怎么样？

高　峰：**没的说**，到时候我教你。哎哟，我的肚子都咕咕叫了，人是铁饭是钢，走，吃饭去，去晚了食堂就关门了。

注　释

1. 高考：学生进入大学的考试。
2. 佩服（pèifu）：认为（某人）很了不起所以敬重他。（admire）
3. 江山易改，本性难移（yí）：俗话，用来形容人的性格是很难改变的。
4. 犄角旮旯（jījiǎogālá）：意思是角落（corner），不被人注意的地方。
5. 开导（dǎo）：说一些道理来劝告某人。（enlighten）
6. 上网："网"指 Internet。
7. 机盲（máng）：不懂计算机知识或不会用计算机的人。
8. 人是铁饭是钢：俗话，意思是吃饭对人来说很重要，人必须吃饭。

例　释

1. 这次考试又**考砸了**（kǎo zá le）

（动词）+ 砸了　某事没做好或失败。如：跳砸了、唱砸了、演砸了。

Fail or not succeed in doing something, e. g. "跳砸了", "唱砸了", "演砸了".

(1) 他想，这次的课可跟往常不一样，万一讲砸了，会让人家笑话的。

(2) 我十几年没唱了，万一唱砸了，可怎么办呢？

2. **只不过**（zhǐ bu guò）是一次期中考试**罢了**（bà le）

只是、仅仅。还可以说"只是……罢了"。

Only; just. Also, "只是……罢了".

(1) 小刘说，他早就知道这件事了，只是没告诉我们罢了。

(2) "她不是说不找男朋友吗？" "她只不过是说说罢了，你别信她的。"

(3) 这个房间也挺好的，只不过没有那个房间大罢了。

3. 我还不是**照**（zhào）吃**不误**（bú wù），**照**玩儿**不误**

情况、条件变了可还是照样做某事。也可以表示不听别人劝告照样做某事。

One does not change one's behavior. It can also indicate that one does something in spite of someone's advice.

(1) 他每天都去跑步，有的时候天气很不好，他也照跑不误。

(2) 他每天都给姑娘写信，尽管没有回信，但他还是照写不误。

(3) 家里人，包括医生都劝他戒酒（stop drinking），可他不听，每天照喝不误。

4. 不**是**（shì）念书的**那块料**（nà kuài liào）

某人（不）适合做某事。

Someone is (not) suited to do something.

(1) 这小伙子身体真棒，是一块当兵（soldier）的料！

(2) 他父亲是一位著名的作家，写了不少作品，他从小跟在父亲身边，上大学后也写过几首诗什么的，但到底不是他父亲那块料。

(3) 我可不是当领导（leader）的料，人多了我说话就脸红。

5. 这成绩是越来越**走下坡路**（zǒu xiàpōlù）

越来越不好。

To become worse and worse.

(1) 经过了几十年的繁荣（prosperity）之后，他们的经济从1992年起开始走下坡路。

(2) 前几年他的身体还不错，可现在开始走下坡路了，每天离不开药。

6. 高考肯定**没戏**（méi xì）

没有希望，不可能。相反的意思可以说"有戏"。

Impossible or beyond hope."有戏" means possible.

(1) 那么多强手，你想得第一？没戏！

(2) 大家知道去旅行的事没戏了，都很失望（be disappointed）。

(3) 我觉得你考北京大学有戏，我嘛，肯定没戏。

7. 我的脑子一到**节骨眼儿**（jiéguyǎnr）就跟木头似的

最关键、最重要的时刻。

Vital or critical time.

(1) 别看他平时挺能说的，可到了节骨眼儿上一句话也说不出来。

(2) 明天就要演出了，就在这节骨眼儿上他病了，真糟糕。

8. 把考试啊、成绩啊太**当回事儿**（dàng huí shìr）了

重视、认真对待。否定可以说"不（没）当回事儿"。

Attach importance to something."不（没）当回事儿" means disregard.

(1) 我只是开了个玩笑，可他却当回事了，所以对我很不满意。

(2) 那时候这个岛因为太小而且没有人住，两个国家都没把它当回事。

(3) 她的话，丈夫从来都不当回事，这让她很不高兴。

9. 什么事都**想得开**（xiǎng de kāi）

不放在心上。相反的说法是"想不开"。

Not take a matter to heart. The opposite,"想不开", means take a matter too seriously.

(1) 他是一个想得开的人，遇到那么多挫折（setback），他还是那么乐观（optimistic）.

(2) 听说好朋友去世了（pass away），他难过得吃不下饭，我们都劝他想开一点儿。

(3) 看见我为了旅行的事特别生气，他对我说："为这么点儿小事没必要想不开，这次去不成下次再去嘛，气坏了身体不值得。"

10. 快**得了吧**（dé le ba）

在对话中用于否定对方所说的内容。

It indicates the speaker does not agree with the person he is speaking to. It is used in dialogue or conversation.

(1) “怎么样？你妈妈不让你去吧？我猜的不会错的。”
“得了吧，爸爸！你们俩都商量好了的”。

(2) 小王说：“没有没有，我没哭。我只是有点难过。”
“得了吧，我们都看见了，别不好意思了。”我笑着说。

(3) “你有女朋友了？真的？她叫什么？在哪儿工作？长得什么样儿？”小王问。大山说：“目前还不能告你。到时候你一看就知道了。”“得了吧，根本没这么一个人，你一定是在吹牛（boast）呢。”小王笑着说。

11. 昨天我妈还骂我**没心没肺**（méi xīn méi fèi）、没有出息呢

（人）没有心计、没有什么心眼儿。常带有贬义。

The literal meaning is someone has no heart and lung. Actually, it means someone is not very calculating, a little gullible or empty-headed. It is a derogatory term.

(1) 他有点儿没心没肺，什么话都说，不管该说不该说，也不管别人爱听不爱听，可他人倒是不坏。

(2) 那些人对他很不好，常常捉弄（tease）他，可他还是整天跟他们在一起，真是没心没肺。

12. 老师也老说我是**小聪明**（xiǎocōngming）

在小事上表现出的聪明，常含有贬义。

Cleverness in trivial matters; be sharp-witted but petty-minded. It is often a derogatory term.

(1) 要想干好一件事，靠小聪明可不行，得花力气，得努力。

(2) 他有点儿小聪明，虽然学习不太努力，可每次考试成绩都还不错，所以他很得意。

13. 我才不**往心里去**（wǎng xīn li qù）呢

在乎、重视。

Care about.

(1) 我听到一些人在背后说我的坏话，可我没往心里去。

(2) 有的时候她在外面跟别人生气，回家后，丈夫就劝她别往心里去，不值得。

14. **往好里说**（wǎng hǎo li shuō）是认真，**往坏里说**（wǎng huài li shuō）就是爱钻牛角尖

对同一事从好的方面和坏的方面分别做评论，常常重点在后面的分句，表示批评、不满等意思。

The speaker addresses both sides of an issue, praising and blaming. But the speaker's main meaning is blaming.

(1) 那位太太，往好里说，是长得很丰满（chubby）；往坏里说呢，简直就像一个啤酒桶（barrel）。

(2) 一见面不要问人家那么多问题，这往好里说，是关心人家；往坏里说，就是干涉（intermeddle）人家的隐私（private affairs），让人讨厌（disgusting）。

15. 往坏里说就是爱**钻牛角尖**（zuān niújiǎojiān）

想不值得想的小事或不能解决的问题。

Literally，"钻" means "try to get into" and "牛角尖" is the tip of a horn. Actually "钻牛角尖" means someone cares only about an insignificant or insoluble problem.

(1) 老王回到家后，越想越生气，连晚饭都没吃，他爱人就劝他别想那么多，老这么钻牛角尖，只会让自己更烦恼（vexed）。

(2) 你应该好好养病，别老想那些不愉快的事，要是什么事都钻牛角尖，没有病也会想出病的。

16. 这不是成心**跟**（gēn）我们**过不去**（guò bu qù）吗

为难、刁难某人或某物。

Baffle or create difficulties for somebody.

(1) 看见他要去踢那条狗，妈妈说："你是不是跟谁生气呢？有什么不高兴的就说出来，别跟狗过不去，它又没惹（offend）你。"

(2) 爸爸对她说："这么好吃的饭怎么不吃？因为生气不吃饭，你这不是自己跟自己过不去吗？"

(3) 因为我批评过老张，他就处处有意（intentionally）和我过不去。

17. **说白了**（shuō bái le）也是为了他们自己

用简单明白的话来说。功能相当于副词。

Speak in simple and clear words. It functions as an adverb.

(1) 我近几年写小说挺不顺利，说白了就是不大受欢迎，这让我很头疼。

(2) 她是个很敏感（sensitive）的女人，说白了，就是有点儿小心眼儿。

(3) 他是个对任何人都很冷漠（inhospitable）的人，说白了就是没什么感情。

18. 我现在干什么都**打不起精神来**（dǎ bu qǐ jīngshen lai）

没有兴趣、没有活力。“打起精神”意思是让自己振作起来。

Not in high spirits, or depressed, and without interest in anything. “打起精神” means keep one's spirits up.

(1) 这一连串的失败让他消沉（depressed）了好长时间，做什么都打不起精神来。

(2) 这几天不知道怎么了，我干什么都打不起精神来，连电视也不想看。

(3) 整个一个下午她呆呆（blankly）地坐在沙发上，什么也不想干，看看到了六点了才打起精神去准备晚饭。

19. **拖**（tuō）了全班的**后腿**（hòutuǐ）

使人不能前进或做事，也说“拉后腿”。

Hold somebody back; be a drag on somebody. Also, “拉后腿”.

(1) 小王的爱人说：“他干什么我都没拖过他的后腿，可这次我不能让他去，你们不知道，他正发烧（have a fever）呢！”

(2) 现在一定要解决好交通问题，否则（otherwise）交通就会拖了城市经济发展的后腿。

20. 在同学和老师面前老觉得**抬不起头来**（tái bu qǐ tóu lai）

觉得羞愧、不好意思。

Hang one's head; feel shame.

(1) 她不敢把卖血的事告诉孩子们，怕他们将来找对象都抬不起头来。

(2) 丈夫的无能、懦弱，让将军的女儿很觉得抬不起头来。

21. **亏**（kuī）你还是个男子汉

口语句式，用讥讽的语气表达说话人对对方的不满或批评。

It is used in dialogue only, indicating the speaker's dissatisfaction or criticism in a mocking tone.

(1) 她生气地说：“我们都在努力工作，你却在这儿睡觉，亏你睡得着！”

(2) 小王说：“你要是觉得这样安排不好，你就别去了。”“什么？不去？”老张气得脸都红了，“亏你想得出来！”

(3) 亏他还是个有文化的人，这种话也能说出口。

22. **小菜一碟儿**（xiǎocài yì diér）

意思是很容易、很简单。

It means very simple; easy to do.

（1）一年级的功课很简单，对上过幼儿园的孩子更是容易，只要细心，考试时拿个一百分小菜一碟儿。

（2）人家是乒乓球世界冠军，从小就开始练球，教这几个小孩子还不是小菜一碟儿。

23. 玩电脑我可是**一把好手**（yì bǎ hǎoshǒu）

做某事技术非常好的人。也可说“好手”。

A person who is good at something. Also,“好手”.

（1）说学习他不行，要说踢足球他可是一把好手。

（2）小王是修车的一把好手，因此认识了不少开出租汽车的司机。

24. 我还给他**露**（lòu）了**一手**（yì shǒu）呢

把某一特别的技术或能力表现出来。也说“露两手”、“露几手”。

Show off one's skill. Also,“露两手”,“露几手”.

（1）听说你做回锅肉做得不错，什么时候给我们露一手啊？

（2）我最近学会了一套太极拳，你们要是想看，我就给你们露几手。

25. 我现在**整个一个**（zhěnggè yí ge）“机盲”

完全、彻底、百分之百的。

Completely or wholly.

（1）他说自己是艺术家，头发比女人的还长，老穿着奇奇怪怪的衣服，说一些谁也听不懂的话，整个一个疯子（madman）。

（2）她生完孩子以后变化很大，原来瘦瘦的姑娘现在整个一个胖大妈。

26. **没的说**（méi de shuō）

当然可以、没问题。

OK, of course, no problem.

（1）咱们是朋友，不就是去机场接个人吗？没的说！

（2）别的我帮不了你，要说搬个东西呀，跑跑腿儿（go on an errand）呀什么的，没的说，只要你说一句话就行。

也可以表示很好，没有什么可批评的。

It also means very good, no shortcoming.

(3) 老张对朋友那可是没的说，朋友们有什么事，他总是热心帮忙。

(4) 这家公司的产品虽然质量说不上是最好的，可他们的售后服务（after-sale service）真是没的说。

练　　习

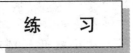

一、用线连接词语和对应的解释：

(1) 情况越来越不好	A. 一把好手
(2) 关键时刻	B. 拖后腿
(3) 不让某人去做什么	C. 走下坡路
(4) 做某事做得很好的人	D. 小菜一碟儿
(5) 认为做某事非常容易	E. 节骨眼儿
(6) 没问题，可以	F. 没的说
(7) 头脑简单，没有心计	G. 没心没肺
(8) 没有兴趣，没有精神	H. 打不起精神

二、选用合适的词语填空：

说白了　没戏　一把好手　钻牛角尖　露一手　小菜一碟儿　往心里去　走下坡路　抬不起头来　过不去

(1) 他对我说："你生气了？真对不起，我们昨天是跟你开玩笑的，你别________。"

(2) 自从去年得了那场大病以后，他的身体就开始________了，人也好像一下子老了十几岁。

(3) 长江他都游过，让他游这条小河那还不是________？

(4) 在我们这里，离婚是很丢人的。所以她离婚的事让家里人在村子里________。

(5) 妈妈常常说："当时家里有七八口人，我天天洗衣做饭，忙个不停，我呀，________，就是个不要钱的保姆。"

(6) 我们一看见他的脸色就知道去旅行的事________了，大家都很失望。

(7) 老张是个爱________的人，什么事都要弄个一清二楚。

(8) 他批评你，你别生气，他不是成心跟你＿＿＿＿＿＿＿＿，他是个对工作非常认真的人。

(9) 刘老汉是种西瓜的＿＿＿＿＿＿＿＿，人们有什么技术上的难题都来找他问。

(10) 爸爸的拿手菜是拔丝苹果，可我们不是经常能吃到，只有家里来了客人的时候他才会＿＿＿＿＿＿＿＿。

三、用指定词语完成下面的对话：

(1) 弟弟：要是让我去参加比赛，我一定能得第一名，我跑得最快了。
哥哥：＿＿＿＿＿＿＿＿。(得了吧)

(2) A：昨天你真不该那么说话，王丽都快气哭了。
B：＿＿＿＿＿＿＿＿。(只不过……罢了)

(3) A：我的病不用去医院，＿＿＿＿＿＿＿＿。(只不过……罢了)
B：还是去吧，要是重了就麻烦了。

(4) 妈妈：听儿子说他将来要去当老师。
爸爸：别听他的，＿＿＿＿＿＿＿＿。(不是……那块料)

(5) A：别看小张干别的不行，做生意还挺行。
B：是啊，＿＿＿＿＿＿＿＿。(是……那块料)

(6) A：＿＿＿＿＿＿＿＿，这么大的新闻都不知道？(亏你……)
B：我感冒了，在家躺了好几天。

(7) 儿子：爸爸，这个字怎么念？什么意思？
爸爸：＿＿＿＿＿＿＿＿，这个字小学生都认识。(亏你……)

(8) A：你怎么喝醉了？有什么难事吧？说出来，也许大家能帮帮你呢，＿＿＿＿＿＿＿＿。(跟……过不去)
B：这事谁也帮不了我。

(9) 妈妈：小明的腿好了以后不爬树了吧？
哥哥：哪儿啊，＿＿＿＿＿＿＿＿。(照……不误)

(10) A：我给小张讲了半天怎么用电脑，他就是不明白。
B：他呀，＿＿＿＿＿＿＿＿。(整个一个)

第三课

这 60 块钱就打水漂儿了

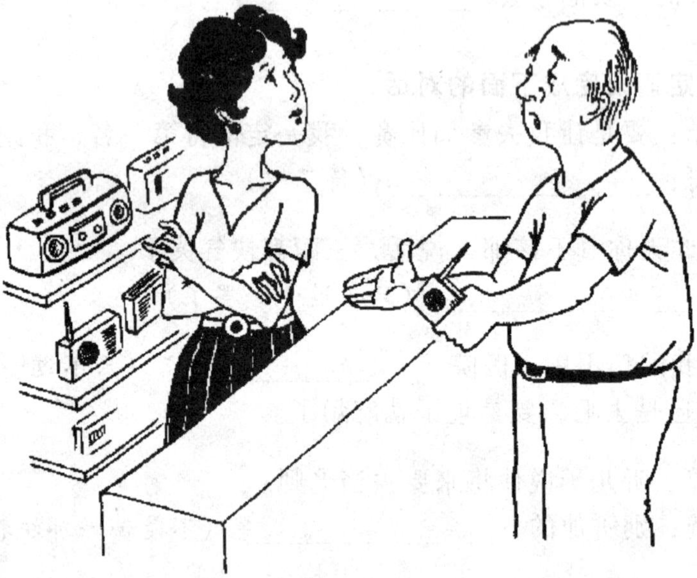

（老张气呼呼地走进了办公室）

老张：这种女人太**不像话**了，睁着眼说瞎话，真是只认钱不认人。

老陈：怎么啦，老张？是不是跟谁吵架了？看把你气的。

老张：咳，别提了。我前天在路边的小店买了个收音机，刚听了一天就没声儿了，**这不**，我就又去了，想换一个。

老陈：没换成？

老张：没换成不说，还受了一肚子气。那个女的真**够可以的**，明明就是她卖给我的，可她**一口咬定**压根儿不是他们店卖的，我说一句，她有十句等着我，**话里话外**的意思就是我想占便宜。

老陈：你把发票拿出来给她看不就行了？

老张：要是有，我不就不跟她多**费口舌**了！

老陈：**闹了半天**，你没有发票啊，这就怪不着人家了。

老张：可我就是在那儿买的呀，我都**这把年纪**了，还能骗她不成？

老陈：得了，你快消消气吧。**说到底**，你就不该上那儿买东西，小店的东西能**好到哪儿去**？

老张：那个小店就在我家胡同口儿，我老去那儿买东西，跟他们都**半熟脸儿**

了，按理说应该**好说话**，唉，没想到啊。

老陈：现在买什么东西都得**留一手**，发票可不能不要，万一有什么问题，那些票什么的就能**派上用场**了。吃一堑长一智吧，你要实在**气不过**，就告他们去，要不，你就按照上面的地址直接找厂家。厂家是哪个？

老张：你看，上面只写着“广东生产”，广东那么大，我上哪儿找去呀？算了，为这么个小玩意儿东找西找的不值得，要是再惹一肚子气，**更划不来**了。得，算我倒霉吧。

老陈：那你这60块钱就**打水漂儿**了？不过，**你也是**，家里又是录音机又是音响，买什么收音机呀？你看看现在谁还买收音机呀！你可真**想一出是一出**。

老张：我就图个方便，听听新闻，听听京戏，可以走到哪儿带到哪儿，想的挺好，唉，现在这些个个体户啊，我是真不敢去他们那儿买东西了，不知道什么时候就吃亏上当。

老陈：可不，那些私人商店都是**说的一套，做的一套**，你买的时候，他好话能跟你说一大车，可你要想退呀换呀，他就翻脸不认人了。所以说，要买东西还得去国营商店。上次我在王府井买的那双皮鞋穿了半个月，坏了拿去换，人家**二话没说**就给换了。

老张：行了，老陈，你别在这儿**放马后炮**了！

注　释

1. 消（xiāo）消气：让怒气消失，不再生气。（calm one's anger）
2. 吃一堑（qiàn）长一智（zhì）：俗话，意思是经过一次失败、挫折（frustration）后，增长一份知识、见识。
3. 告：向有关部门控告。（accuse）
4. 惹（rě）：引起。（provoke）
5. 图：极力希望得到。（pursue；seek）
6. 翻脸：对人的态度突然不好。（suddenly turn hostile）

例　释

1. 这种女人太**不像话**（bú xiànghuà）了

某种言语或者行为不合情理，不应该，表示说话人的不满或责怪。

One's speech or behavior is unacceptable or wrong. It expresses the speaker's discontent or blame.

(1) 妻子一边开门一边说："你真是越来越不像话了，这么晚才回来。"

(2) 刘太太不好意思地说："真对不起你，李小姐，您第一次来，怎么能让您给我们做饭呢？这个老刘，实在太不像话了！"

(3) 这种不像话的人到哪儿都不受欢迎。

2. **这不**（zhèbú），我就又去了

只用在口语中，后面要有停顿。说话人说出一个情况或事实后，用"这不"引出相关的事情来加以证实。也说"这不是"。

It is only used in dialogue and must be followed by a pause. It is used to introduce evidence in support of the previous statement. Also, "这不是".

(1) 他小声说："那个人刚进去，就是这院，我看着他进去的。这不，他的自行车还锁在院外呢。"

(2) 听到我批评他天天打麻将，他说："我哪儿是打麻将啊，我是手上打着麻将心里想着我的小说。这不，两个长篇的基本构思都出来了。"

3. 那个女的真**够可以的**（gòu kěyǐ de）

达到较高的水平、标准，或达到一定的程度。

One has reached a high level or degree (of either good or evil).

(1) 你的手艺还真够可以的，快告诉我们，你从哪儿学来的？

(2) 你英语说得够可以的，要是闭着眼听，还真以为是美国人说的呢！

(3) 哥哥真够可以的，把我的书拿走连句话也不说，让我找了半天。

4. 可她**一口咬定**（yì kǒu yǎo dìng）压根儿不是他们店卖的

话说得非常肯定。

Speak with certainty, no doubt.

(1) 小马坚持说，他这样做只是指出老刘错的地方，而老刘则一口咬定小马从一开始就是别有用心，成心让他在大家面前出丑。

(2) 任北海确实有嫌疑（suspicion），但在没最后弄清事实前，您不要一口咬定人就是他杀的。

(3) 他并没有亲眼看见那个孩子是被哪条狗咬的，可他却一口咬定是我家的大黄狗咬的。

5. **话里话外**（huà lǐ huà wài）的意思就是我想占便宜

说的话蕴涵着别的意思。

One's words contain other impolite meanings.

(1) 王经理在昨天的会上发了言，虽然没直接对这事做什么评论，可话里话外都流露出不满。

(2) “为什么不行？老赵没说不同意呀？”小梅不解地问，老高回答：“他是没说不同意，可他话里话外的意思你还听不出来吗？”

(3) 这两天李二嫂一看见邻居就说起这事，话里话外都透着幸灾乐祸（gloat）的意思。

6. 我不就不跟她多**费口舌**（fèi kǒushé）了

（为了达到某一目的）说很多的话。

Do a lot of talking.

(1) 我们跟看门的老大爷费了不少口舌，总算挤了进去。

(2) 你别跟他多费口舌，他才不会听你的呢。

(3) 我在张老师那儿费了半天口舌，最后张老师总算同意我去了。

7. **闹了半天**（nàole bàntiān），你没有发票啊

说了很长时间后才知道了事情的原因或真相。

Know the reason or fact after a long talk.

(1) 开始的时候我很纳闷儿，怎么没人来呢？闹了半天问题出在这儿。

(2) 闹了半天你是在问我呀，我还以为你问我哥哥呢。

(3) 我以为你们都知道了，闹了半天，你们不知道啊。

8. 我都**这把年纪**（zhè bǎ niánjì）了，还能骗她不成

年纪很大，还可说“一大把年纪”。

Very old. Also, “一大把年纪”.

(1) 你都这么一大把年纪了，怎么还跟小孩子一样？

(2) 我这头发就交给你了，你就放心地剪吧，剪什么样是什么样，我都这把年纪了，有什么好看不好看的。

9. **说到底**（shuōdàodǐ），你就不该上那儿买东西

从根本上说；说到最后。

In the final analysis; at bottom.

(1) 我们也劝过他们夫妻俩，可说到底，那是人家的家务事，外人不好插手太多。

(2) 现在各公司之间的竞争，说到底，就是质量和服务的竞争。

10. 小店的东西能**好到哪儿去**（hǎo dào nǎr qu）

（形容词）＋ 到哪儿去 用反问形式表示“不 ＋（形容词）”的意思。在陈述句中说“（形容词）＋不到哪儿去”。

It is a rhetorical question, meaning “不 ＋ adjective”. In declarative sentences, we can say “adjective＋ 不到哪儿去”.

(1) 不就是爬了个香山吗？那能累到哪儿去？

(2) 小学一年级的功课能难到哪儿去？用不着请家庭教师。

(3) 就在这儿买吧，去西单买也便宜不到哪儿去。

11. 跟他们都**半熟脸儿**（bànshúliǎnr）了

只是认识某人，但是不很熟悉。

Know somebody but not very well.

(1) 我跟王经理不太熟，也就是个半熟脸儿，让他帮这个忙有点儿不合适吧？

(2) 他的交际面儿很广，哪儿都有他的朋友、哥儿们，半熟脸儿的就更多了。

12. 应该**好说话**（hǎo shuōhuà）

（某人）脾气好或不太坚持己见，容易商量。

(Someone) has a good temper or is not stubborn or easy to be persuaded.

(1) 其实，房东平时也是挺好说话的人，可在这件事上，房东变得不那么好说话了，非让他们搬家不可。没办法，他们只好四处找房子。

(2) 他想，女人一般都比较心软，好说话，就朝靠东边的那个出口走去，那儿站着个中年妇女。

(3) 要是遇到不好说话的工作人员，你写错一个数字也不行，都得重写。

13. 现在买什么东西都得**留一手**（liú yì shǒu）

有所保留，以防万一。

Keep something just in case (or in preparation for some major occurrence).

(1) 其实早在分东西的时候，他就留了一手，没把那两个戒指放进去，而是藏了起来。

(2) 过去师傅教徒弟手艺，都留起一手，怕徒弟学会了，抢自己的生意。

(3) 我老觉得这人不太可靠，就留了一手，没把电话号码和住址告诉他。

14. 万一有什么问题，那些票什么的就能**派上用场**（pài shang yòngchǎng）了

有用，能用上。否定可以说“派不上用场”。

Useful. The negative form is“派不上用场”.

(1) 这老屋子一到下雨就漏，妈妈只好拿盆盆罐罐接，有时连饭盒都能派上用场。

(2) 他早年在上海学过徒，上海话学得相当地道，这在以后他演戏时都派上了用场。

(3) 我们在学校里学的那些理论、知识，到了这儿好多都派不上什么用场。

15. 你要实在**气不过**（qì bu guò），就告他们去

太生气，不能忍受。

Too angry to tolerate.

(1) 她不想跟人说这件事，只是埋头干活，但她气不过，还是打电话全告诉了爱容。

(2) 开始他还不吭声，心想忍忍算了，可她还在骂个不停，他终于气不过，抄起桌子上的碗就扔了过去。

16. 要是再惹一肚子气，更**划不来**（huá bu lái）了

不值得。肯定的意思可以说“划得来”。

Not worth it. The opposite is“划得来”.

(1) 妈妈觉得，费那么多钱，就为尝个新鲜，划不来。

(2) 到了那儿，大家很失望，都说花了两个多小时，划不来。

(3) 您要是为这么点儿小事气坏了身子，那可就太划不来了。

17. 那你这 60 块钱就**打水漂儿**（dǎ shuǐpiāor）了

钱白花了，什么也没得到，或者钱回不来了。

Spend much money and get nothing in return.

(1) 李厂长一下台，我送他的那 500 块钱算是打水漂儿了。

(2) 当时说是过一年就还，可现在四年都过去了，一块钱也没见着。一千块钱就这么打水漂了。

18. **你也是**（nǐ yě shì）

（某人）+也是 批评、埋怨某人，只用于口语中。

It is only used in conversation, indicating the speaker blames somebody (for the same reasons already mentioned).

(1) 大伯抢下爸爸手里的棍子，骂爸爸太狠心，转过身来对我说："大军，你也是，干什么不好，干吗跟人打架呀。"

(2) 我也是，说什么不好，偏偏提起大牛，惹得李大妈不住地擦眼泪。

(3) 你们不该这么说老张，不过，老张也是，提前打个招呼不就没这事了吗？

19. 你可真**想一出是一出**（xiǎng yì chū shì yì chū）

想到什么就马上去做，不经过仔细考虑，有批评的意思。

Ill-considered; do something without thinking over. It is a critical phrase.

(1) 那个电视机不是还挺好的吗？干吗又要买新的？你真是想一出是一出。

(2) 我们都说他是想一出是一出，在总公司多舒服啊，干吗非要去下面的工厂呢？

(3) 哥哥想一出是一出，把院子里的花都拔了，说要练习打篮球，气得妈妈骂了他好几天。

20. 那些私人商店都是**说的一套，做的一套**（shuō de yí tào, zuò de yí tào）

说的和做的不一样，说的很好，但实际不这样做。也说成"说的是一套，做的是另一套"。

One's words are different from his action, or he does not do as he promised. Also, "说的是一套，做的是另一套".

(1) "我答应你还不行吗？哪天有空儿我一定陪你去。"

"不行，你老是说的一套做的一套，你今天就得陪我去。"

(2) 你怎么能相信他的话呢？他一向是说的一套做的一套。

21. 人家**二话没说**（èrhuà méi shuō）就给换了

马上做了某事，或者什么也没说就做了某事。

Do something at once, or do something without saying anything.

(1) 看见小张走了进来，老王二话没说，一把抓住他就往外跑。

(2) 他听完我们的话，二话没说，就同意了我们的建议。

(3) 上次一个朋友跟他借车，他二话没说就把车借给了人家。

22. 你别在这儿**放马后炮**（fàng mǎhòupào）了

说晚了，事情已经发生了才说。

Say something belatedly.

(1) 事情都发生了，说什么也没用了，你也别在这儿放马后炮了，该干什么就干什么去吧。

(2) 你要早说不就没这事儿了吗？现在放什么马后炮！

(3) 你问他也没有用，他就会放马后炮。

练　习

一、选用合适的词语填空：

留一手　划不来　打水漂　不像话　放马后炮　派不上用场　二话没说
这把年纪　想一出是一出　说的一套，做的一套

(1) 您都________了，怎么能跟年轻人比呢？

(2) 住在大山里，都是山路，自行车在这儿根本________，买了也没用。

(3) 我去的时候张大夫正在吃饭，听我说完他________就跟我往外走。

(4) 你要是为了多挣两个钱把自己的身体累坏了，那就太________了。

(5) 有的人太________了，用过的饭盒随便乱扔，把这儿弄得很脏。

(6) 如果没有十分的把握，她不会拿出钱的。她可不干那种拿钱________的事。

(7) 小张说："我早就看出这里面有问题。"老王笑着说："你少________吧，当时你可没这么说。"

(8) 你既然答应了，就一定尽力去做，如果________，会失去朋友的信任的。

(9) 原来他要去公司，我们开始不太同意，想来想去也就同意了，可没干两天，现在他又________，说什么要自己开公司，我们真不知道他是怎么想的。

(10) 我们几个人怕事后没有证据，别人不相信我们，就________，把他们跟我们说的悄悄地用录音机录了下来。

二、用所给词语完成对话：

(1) A：其实这都是我听我姐姐说的。

B：________________。(闹了半天)

(2) 孩子：王奶奶家的花盆儿是我踢球的时候不小心踢坏的。

妈妈：________________。(闹了半天)

(3) 妈妈：这儿的鞋不好，别在这儿买，等星期天咱们一块儿去王府井再买吧。

爸爸：________________。(A到哪儿去)

(4) 爸爸：那些女孩儿________________。(够可以的)

妈妈：女孩子爱美，为了漂亮，冷点儿也没关系。

(5) A：你真________________。(够可以的)

B：我怕耽误你们的时间，你们都挺忙的。

(6) A：我不就是晚到五分钟吗？王经理干吗对我说话那么不客气？

B：王经理的态度是不太好，不过，________________。(你也是)

(7) A：您刚搬来的时候，您家老二才上中学。

B：是啊，现在都成大人了，________________。(这不)

(8) A：刘明不是借过那本书吗？

B：________________。(一口咬定)

(9) A：你还是再跟老张好好说说吧，也许他能考虑考虑。

B：________________。(费口舌)

(10) A：唉，为什么咱们找个工作那么难呢？

B：________________。(说到底)

第四课

你可真是个马大哈

（小王气喘吁吁地跑进来）

小王：李明，李明！

李明：看你跑得**上气不接下气**的，什么事这么急？

小王：你看看少了什么东西没有？

李明：哎呀，我的钱包！钱包不见了。

小王：这是你的吧？我在你的自行车车筐里发现的。你可真是个**马大哈**，钱包都不拿好。

李明：刚才我光顾着锁车了，你看，一个月的工资都在这钱包里，身份证也在里面，要是丢了，我就该抓瞎了。哎，怎么那么巧让你看见了？

小王：真是歪打正着，我放车的时候不小心碰倒了一辆车，扶起来一看，正好是你的车，再一看，你的钱包放在车筐里，你说巧不巧？要是我晚来一步，让别人拿走了，那就麻烦了。哎，李明，给我点儿水喝，我都快渴死了。

李明：**你看我这人**！都忘了给你倒水了，来，给你一瓶冰镇的，解渴。哎，对了，小王，上星期咱们不是说好一块儿去参加舞会吗？你怎么**说话不算数**啊？害得我们昨天等了你们半天。

小王：我是真想去，可这不是我一个人**说了算**的事呀。

李明：怎么？丽丽不想去？是你们俩闹别扭了还是丽丽不愿意跟我们一起去啊？

小王：看你**想到哪儿去了**。她还在为丢车的事生气呢，昨天我**好说歹说**，劝她跟我去，可她就是不去，说丢了车，没有心情跳舞。她不去，我也没法儿去呀。

李明：**可也是**，**一口气**丢了三辆自行车，谁不生气呀？不过你劝劝她，生气也没用啊。

小王：我没少劝她，我跟她说，别那么想不开，丢了就丢了吧，**只当**是学雷锋、献爱心了。可她**一个劲儿**地埋怨我，一会儿怪我给她买的锁不结实，一会儿又怪我放错了地方，你看，我倒**落**了个一身**不是**。唉，**到头来**还得我向她**赔不是**，你说这事闹的！那些小偷啊，真**不是东西**！

李明：**也别说**，他们也够有本事的，你用再结实的锁，他都根本**不在话下**，几下儿就能把锁弄开，比你拿钥匙开还快。

小王：听说老赵家的四辆车让小偷来了个**连锅端**，气得老赵好几天吃不下饭。

李明：咱们这儿早该下大力气好好管管，太乱了，大白天的，有人看着，竟然还**时不常**地丢东西，真不知道那些门卫是干什么吃的，简直就像是聋子的耳朵。

小王：对，那天我**在气头上**，也这么骂他来着。骂了半天，虽说出了气，可**该**丢**还是**丢。所以我现在每天用两道锁把车锁在树上，看还丢不丢。你看我这把锁，据说是高科技产品，双保险的，结实**得不能再**结实了。

李明：在哪儿买的？真结实！哎，锁怎么在这儿？你的车？

小王：哎呀，刚才我光顾追你，忘了锁了。我走了。

李明：哎，你的帽子，小王……

注　　释

1. 歪打正着（zháo）：方法本来不恰当，没想到得到了满意的结果。
2. 冰镇（zhèn）：把食物或饮料跟冰放在一起，使食物或饮料变凉。
3. 解渴（jiě kě）：消除渴的感觉。（quench one's thirst）
4. 雷锋：人名，因为热心帮助别人，给别人做好事而出名。
5. 门卫：守卫在门口的人。（entrance guard）

例　释

1. 看你跑得**上气不接下气**（shàng qì bù jiē xià qì）的

形容人由于跑得快而呼吸很急的样子。

Be out of breath from running.

(1) 小王跑上四楼，上气不接下气地对我说："不好了！你儿子让狗给咬了！"

(2) 我们几个人绕着操场跑了五六圈，一个个累得上气不接下气的，可是王老师没说停，所以我们谁也不敢停下来。

(3) 都八点多了，她才上气不接下气地跑进教室来。

2. 你可真是个**马大哈**（mǎdàhā）

马虎、粗心大意、随便的人。

The person who is careless and forgetful.

(1) 他是个马大哈，钥匙、钱包什么的经常丢，这次带儿子出去玩，竟然把儿子给丢了。

(2) 王强这个马大哈前几天闹了个笑话，他分别给女朋友和爸爸写了一封信，可寄的时候装错了信封，结果大家就可想而知了。

(3) 我在百货大楼工作的时候，常遇到一些马大哈把买的东西忘在柜台上。

3. **你看我这人**（nǐ kàn wǒ zhè rén）

说话人用这句话来表示对自己的自责、批评。还可说"看我这人、你看我"等。

This sentence indicates the speaker's self-criticism. Also, "看我这人", "你看我".

(1) 你看我这人，跟你站这儿聊了半天，也没请你进去坐坐。

(2) 看我这脑子，刚才我说到哪儿了，噢，对，说到出发的时间。

(3) 看我，一忙，把这么大的事都忘了，这是你的信，给你。

4. 你怎么**说话不算数**（shuōhuà bú suànshù）啊

说了要做什么事，可实际不去做或没有做，相反的意思是"说话算数"。

One's words do not count. The opposite is "说话算数".

(1) 你说过好几次要带我去动物园玩儿，可一次也没带我去过，你老是说话不算数。

(2) 你放心吧，我说话算数，说明天还你就明天还你。

(3) 你别怕，男子汉大丈夫，说话算数，到时候我要是说话不算数，你怎么骂我都行。

5. 这不是我一个人**说了算**（shuōle suàn）的事呀

有决定权，说的话就是最后的决定。相反的意思是"说了不算"。

(Someone) has the final say. The opposite is "说了不算".

(1) 这事儿你别问他，在他们家什么事儿都是他爱人说了算。

(2) 现在我是这儿的老板，我说了算，你们都听我的。

(3) 妈妈说："到底搬不搬家，哪一个人说了也不算，得大家说了算，现在同意搬的举手。"

6. 看你**想到哪儿去了**（xiǎng dào nǎr qù le）

想错了，不正确。

Someone's thinking is wrong.

(1) 小张问："我做了对不起你们的事吗？为什么你们老躲着我？""没有，"老王说，"你想到哪儿去了，没人躲着你，大家都工作了，各有各的事。"

(2)"有人看见你们俩在一起，你跟她又好上了？"妈妈不满地说。

"没有，"我笑了笑，"您想到哪里去了，我们只是聊了会儿天。"

(3)"怎么你一个人回来了，你们俩吵架了？"妈妈不安地问。

大海笑着说："您想到哪儿去了，她今天晚上值班，所以不回来了。"

7. 我**好说歹说**（hǎo shuō dǎi shuō），劝她跟我去

用各种方法或说出各种理由反复劝说。

Try every possible way to persuade somebody.

(1) 饭做好了，可他不肯吃，他还在生气。大家好说歹说的，连老奶奶也过来劝慰，他才勉强地吃了一碗饭。

(2) 我们几个人好说歹说，最后老张总算答应了，可是他也提了个条件。

(3) 船长说，坐船可以，可每个人得交二百块，我们几个好说歹说，最后他答应每人收八十块。

8. **可也是**（kě yě shì）

只在对话中用，表示同意某人跟自己不一样的说法或做法。

It is used in dialogue only, indicating that the speaker agrees with other's words or action which is different from his/hers.

(1) 开始我还觉得老王的做法不太公平，生了一肚子气，听妻子这么一说，我想可也是，这事要是换了我，我可能做得还不如人家呢。

(2) 妈妈不解地说："我去劝劝他们两口子，这又有什么错？"我耐心地说："这不像在老家，家家情况您都知道，您了解人家的情况吗？"妈妈听了后，点了点头，"可也是，我连人家叫什么都不知道。"

9. **一口气**（yì kǒu qì）丢了三辆自行车

同一个动作或同一种情况连续发生，中间不停、不休息。

In one breath; without a break.

(1) 我转身就跑，一口气上到六层，进了家门才算放了点儿心。

(2) 这个孩子一口气讲完了故事，中间没让别人提醒。

(3) 他端起酒杯，一口气喝光了杯子里的酒，然后大声地说："再满上！"

10. **只当**（zhǐ dàng）是学雷锋、献爱心了

就当作。

Treat as; regard as.

(1) 他稳稳地坐在那儿，别人说什么他只当没听见。

(2) 从此她是她，我是我，她要走就让她走，只当我没有生过这么个女儿。

(3) 好好好，我不再出声了，只当我没长着嘴，行不行？

11. 可她**一个劲儿**（yí ge jìnr）地埋怨我

不停地做某事。

Continuously or persistently engage in an activity.

(1) 回到家，他谁也不理，只是坐在椅子上一个劲儿地抽烟，孩子们都不敢大声说话。

(2) 小王一进来就一个劲儿地问比赛的结果怎么样。

12. 我倒**落**（lào）了个一身**不是**（búshi）

受到责备、埋怨。

Be criticized; be blamed.

(1) 我们好心好意帮他，没想到倒落了个不是，他说我们给他添了很多麻烦。

(2) 四奶奶笑着说："我替你们接待了这些贵客，还落个不是。下次我可不管了。"

13. **到头来**（dàotóulái）还得我向她赔不是

到最后，最后的结果（多是不好的结果）。

In the end; finally (usually with a bad or unsatisfactory result).

(1) 奶奶说："为儿女辛苦了一辈子，操心了一辈子，到头来一个个地全离开了我。"

(2) 老张提醒我们说："你们可得小心点儿，做生意不是小事，闹不好到头来别人发财，自己却两手空空。"

14. 还得我向她**赔不是**（péi búshi）

向某人道歉。

Apologize to somebody.

(1) 婆婆逼着儿子向惠芬赔不是，弄得惠芬不知道怎么才好。

(2) 老刘想了一路的词，准备回家去给妻子赔不是。

15. 那些小偷啊，真**不是东西**（bú shì dōngxi）

（某人）不是东西　是骂人话，表示对某人很生气或不满。

It is used to curse someone or swear at someone.

(1) 他一边喝酒一边说："小李真不是东西，表面对我笑嘻嘻的，可在背后老说我的坏话。"

(2) 尽管听到有人在背后骂他不是东西，可他照样每天往那个女人家跑。

(3) 老人低声说："老二不是东西，可他毕竟是我的儿子啊。"

16. **也别说**（yě bié shuō），他们也够有本事的

说话人承认某种事实。也说"还别说"。

The speaker acknowledges the truth. Also, "还别说".

(1) 他笑着对我说："我当初下厨房那是没有办法的事，可也别说，现在我的手艺还真不错。"

(2) 四嫂小声对我们说："你瞧他现在神气的，好像当了多大官似的，还别说，有了这个工作后他倒是不那么喝酒了。"

17. 你用再结实的锁，他都根本**不在话下**（bú zài huà xià）

（对某人来说）不难、很容易或没问题。

There is nothing difficult about it or it's very easy.

(1) 对她来说，只要每天都能看见他，就什么困苦贫穷都不在话下了。

(2) 你要是把这本书读懂了，别的书就不在话下了。

(3) 别说买张火车票了，就是去偷、去抢，只要是你让我做的，我都不在话下。

18. 听说老赵家的四辆车让小偷来了个**连锅端**（liánguōduān）

全部拿走。

Remove or destroy lock, stock and barrel.

(1) 那个箱子放在路口，第一天有人拿走根绳子，第二天有人拿走两块木板，第三天有人干脆连锅端，把箱子都搬走了。

(2) 家里没什么东西，搬起来省事，一辆卡车就可以连锅端了。

19. 有人看着，竟然还**时不常**（shí bu cháng）地丢东西

常常。

Often.

(1) 有了点儿钱后，妈妈也会时不常地买些肉带回家来，给我们包饺子吃。

(2) 由于靠近郊区，所以时不常地有农民来这儿卖些自己家种的菜。

20. 那天我**在气头上**（zài qìtóu shang）

在最生气的时候。

In a fit of anger.

(1) 他现在正在气头上，谁的话也听不进去，等他冷静下来我们再劝劝他吧。

(2) 昨天我们两个人吵了一架，在气头上，互相说了不少难听的话。

21. **该**（gāi）丢**还是**（háishi）丢

该 + A + 还是 + A A这种情况没有改变或不能改变。

The situation A has not changed or can not change.

(1) 我们劝他好多次了，他也答应说要戒烟，可第二天他就忘了他说的话，该抽还是抽。

(2) 她试过很多方法，锻炼、节食，还练过气功，可该胖还是胖，气得她干脆不减肥了。

(3) 打这种预防针（preventive inoculation）没有什么用，到时候该感冒还是感冒。

22. 结实**得不能再**（de bùnéng zài）结实了

形容词 + 得不能再 + 形容词 程度已经到了最高了。

In the extreme; to the highest or lowest degree.

(1) 没想到一下子来了这么多人，礼堂里挤得不能再挤了。

(2) 我们都不愿意跟他一块儿吃饭，因为他吃起饭来慢得不能再慢了。

(3) 这几年我们这儿旱得不能再旱了，连人每天喝的水都不能保证。

练　习

一、选用下面合适的词语填空：

一口气　一个劲儿　说了算　说话不算数　好说歹说　赔不是　时不常
到头来　在气头上　不在话下　马大哈　闹别扭

(1) 开始的时候李老师不让我们晚上去看球赛，后来我们几个________________，他才同意。

(2) 这事挺重要的，得让个又细心又认真的人去做，你可别交给小张那个________________。

(3) 妈妈问："最近怎么没看见你跟小丽一块儿玩儿，你们俩是不是________________了？"

(4) 昨天我们去游泳了，游泳池里人不多，我们________________游了一个多小时才上来。

(5) 自己过生日儿子张福都没回来，妈妈很生气，连晚饭也没吃。张福回家后，连声向妈妈________________："妈，我真的是有事没赶回来，您别生气了。"

(6) 别忘了他以前是游泳运动员，这条河也就二十几米宽，这对他来说根本________________。

(7) 老厂长大声说："你们都出去，这儿的事我________________，让他们有事就来找我！"

(8) 他们俩搬出来后，妈妈不太放心，所以________________过来看看，有好吃的也带过来。

(9) 他知道父亲是为他好，那些难听的话都是他________________说的，他不会为此恨父亲的。

(10) "他说要带我去广州玩。""你别信他的，他经常________________，我最了解他了。

（11）他卖过衣服，也卖过水果，干了好几年，可＿＿＿＿＿＿＿＿没挣下什么钱，到现在还住在父母家。

（12）两个人为送礼的事吵得了一架，气得小丽在屋里＿＿＿＿＿＿＿＿地哭，眼睛都哭红了。

二、用指定词语完成下面对话：

（1）A：给你打电话你怎么不给我回电话，是不是生我的气了？
B：你＿＿＿＿＿＿＿＿。（想到哪儿去了）

（2）A：大老远地跑到这儿，原以为能有点儿收获，可这儿什么也没有，太气人了。
B：气什么呀，你看天气这么好，咱们＿＿＿＿＿＿＿＿。（只当）

（3）妹妹：你说我不学习，天天去看电影，你有什么证据？拿出来让我看看。
哥哥：好了，你别急，＿＿＿＿＿＿＿＿。（只当）

（4）爸爸：上回我批评完小刚以后，他现在是不是不玩游戏机了？
妈妈：哪儿啊，＿＿＿＿＿＿＿＿。（该A还是A）

（5）邻居1：你们给那两口子提意见以后，他们还常常唱到半夜吗？
邻居2：＿＿＿＿＿＿＿＿。（该A还是A）

（6）A：你的病怎么样了？去医院看了吗？
B：没有，你看我现在＿＿＿＿＿＿＿＿，一点时间也没有。
（A得不能再A了）
A：再忙，也得去看病啊，可不能耽误了。

（7）A：李明打电话让咱们今天去他家玩，你想去吗？
B：我很想去，可是恐怕不行，我今天＿＿＿＿＿＿＿＿。
（A得不能再A了）

（8）A：我明天要是看见他，再劝劝他。
B：我看你劝也没有用。
A：＿＿＿＿＿＿＿＿。（可也是）

（9）A：他做得不对，我就批评了他两句，他干吗发那么大的火？

B：批评得对也得注意方式方法。把他换成你，你愿意吗？

A：________________。（可也是）

（10）A：听说你帮老王家介绍了个小保姆，是吗？

B：唉，别提了，我是好心帮忙，没想到，________________。（落不是）

（11）A：你每天跟外国人打交道，英语练得不错了吧？

B：我的英语水平你还不知道吗？不过，________________。（还别说）

（12）A：我穿的衣服好多都是我妈妈给我做的，你看，这件也是。

B：________________。（还别说）

第五课

这事让我伤透了脑筋

（周强和老朋友刘威一边吃饭一边聊天）

周强：你和你的同屋处得怎么样？

刘威：我那个同屋啊，**懒到家**了，他的床上老是乱得让人**看不下去**，脏衣服也不洗，而且从来没打扫过宿舍，又不是小孩子了，我说**也不是**，不说**也不是**。

周强：遇见这种不自觉的同屋可真倒霉，不过，乱点儿就乱点儿吧，不能跟自己的家比，**睁一只眼闭一只眼**算了。

刘威：是啊，反正也没别人去。我总是想，每个人生活习惯都不一样，为一些鸡毛蒜皮的小事伤了和气不值得。

周强：说实话，我们几个好朋友里数你有肚量。

刘威：有肚量倒谈不上。仔细想想，生活中的好多矛盾，其实说起来**没有什么大不了**的，没必要过于认真，这也是我一贯的原则。

周强：要是大家都像你这样就好了。

刘威：我很讨厌那种爱在背后说别人不是的人，不过，有一件事，跟我的同屋有关系，不说吧，心里不舒服，说吧，又有点儿**说不出口**。

周强：**咱们俩是谁跟谁呀**？有什么就说吧。

刘威：我的同屋做事有点儿**太那个**了。

周强：别吞吞吐吐的，到底是怎么回事？

刘威：你知道，食堂的饭菜不好，所以隔三差五我们俩就下馆子，每次都是我**掏腰包**，不过，这也没什么，**谁让**我比他大**呢**！可他三天两头跟我借钱，这**一来二去**的，数目也不算小了，可他跟**没事人**似的，还钱的事只字不提，我又不好意思跟他要。我估计他这几天又该跟我借钱了，你说，借他吧，我不是什么大款，不借他吧，又不好意思。这事真让我**伤**透了**脑筋**，左右为难。

周强：这有什么为难的？你现在要是不给他个**硬钉子碰碰**，以后他更得寸进尺了，你还得**吃苦头**。你太好心了，我看，也就是你才这么**一而再，再而三**地让着他，这种人在别处绝对**没有市场**。

刘威：话是这么说，可我真**拉不下脸来**。算了算了，不说我的事了。哎，你的同屋好像有点儿不合群儿吧？

周强：对，他人倒不坏，可我们俩**说不到一块儿**去，所以每天他干他的，我干我的，这样挺好，不会**闹意见**。

刘威：这样倒也好，不过，你这个**炮筒子**可得改改脾气了，别**动不动就**跟人**脸红脖子粗**的。

周强：对，我得向你学习。

刘威：对了，昨天我看见王老师把你叫到办公室去了，是不是又**捅**了什么**娄子**了？

周强：就是跟班长吵了一架，他可真是个**软硬不吃**的家伙！

刘威：噢，是这样啊，吓了我一跳，我还以为怎么了呢！

注　释

1. 处（chǔ）：跟别人一起生活，交往。（get along with somebody）
2. 鸡毛蒜（suàn）皮：比喻不重要的琐碎的小事。（trifles）
3. 一贯（guàn）：一向如此，没有改变。（consistent；all along）
4. 左右为难（wéinán）：怎么做都感到难办或难以应付。（feel embarrassed；feel awkward）
5. 得寸进尺：比喻贪心大，不知道满足。（give him an inch and he'll take an ell；be insatiable）
6. 合群儿：跟别人能友好相处，跟大家关系好。（get along well with others）

例　释

1. 我那个同屋啊，懒**到家**（dào jiā）了

形容词 + 到家　形容程度高，到了极点。

Extremely; reach a very high level.

(1) 小张那个人坏到家了，总是找我的麻烦，让我不舒服。

(2) 几个孩子不满地叫着："这么好的球你们都踢输了，真臭！臭到家了！"

(3) 他把话说得清楚到家了，不怕那几个人听不出来。

2. 床上老是乱得让人**看不下去**（kàn bu xiàqù）

太过分了，让人看了以后不能忍受，不能再继续看。还可说"听不下去"、"说不下去"、"呆不下去"等。

One cannot tolerate or stand to see. Also, "听不下去", "说不下去", "呆不下去".

(1) 那个男人喝酒喝多了，回到家就打孩子。邻居们看不下去了，打电话把警察找来了。

(2) 老人们都说，现在的年轻人太开放了，有的男女在大街上就能做出一些特别亲密的动作，真让人看不下去。

(3) 两个人又为孩子的事吵了起来，说的话都很难听，奶奶听不下去了，从屋里走了出来。

3. 我说**也不是**（yě búshi），不说**也不是**（yě búshi）

A 也不是，不 A 也不是　做不做某件事都很为难。也可说"A 也不是，B 也不是"。

Feel embarrassed both to do and not to do something. Also, "A 也不是，B 也不是".

(1) 看着他们夫妻俩你一句我一句地吵，我站在旁边，走也不是，不走也不是，难受死了。

(2) 听到这句话，二姐伸出的手僵在半空中，看着桌上的钱，拿也不是，不拿也不是。

(3) 小云突然见到屋子里这样的情形，站在门口，进也不是，退也不是。

4. **睁一只眼闭一只眼**（zhēng yì zhī yǎn bì yì zhī yǎn）算了

对不好的或不应该的事不关心、不管。

Turn a blind eye to something; pretend not to see.

(1) 她多少也知道一些丈夫跟别的女人的事，可她又能怎么样呢？只好睁一只眼闭一只眼。

(2) 那么多不公平的事你都管得了吗？算了，睁只眼闭只眼吧。

(3) 他对办公室的事一向是睁一只眼闭一只眼，只管做好自己的事。

5. 其实说起来**没有什么大不了**（méiyǒu shénme dàbuliǎo）的

不是什么重要的事。

Not so important.

(1) 大民说：“不就是丢了辆车吗？没什么大不了的，再买一辆就行了。”

(2)“你们为什么打架？”小王说：“其实没什么大不了的事，就是为了一句话。”

(3) 他满不在乎地说：“这有什么大不了的，不就是弄错了个数字吗？”

6. 有点儿**说不出口**（shuō bu chū kǒu）

不好意思说出来。

Feel embarrassed to say.

(1)“分手”这两个字就在我嘴边，可看她高兴的样子，我说不出口来。

(2) 在外人面前，“我爱你”这三个字他怎么也说不出口。

7. **咱们俩是谁跟谁呀**（zánmenliǎ shì shéi gēn shéi ya）

意思是关系不一般，关系很亲密。

This sentence means two persons have intimate relations.

(1) 她笑着说：“这里的每样东西都是我辛辛苦苦做出来的，当然不容易，不过咱们俩谁跟谁呀？你喜欢什么，随便拿。”

(2) 不就是那一百块钱吗？早还晚还都没有关系，咱们是谁跟谁！

(3) 你们俩是谁跟谁呀，你上他那儿，他上你那儿，不是一样吗？

8. 我的同屋做事有点儿**太那个**（tài nàge）了

“那个”是用来代替不便直接说的（不太好的）形容词语。

“那个” here is used to replace a descriptive word or phrase with negative implications that the speaker does not want to say directly.

(1) 第一次见面就跟人家说钱的事，是不是太那个了？

(2)“我并没有说他们这样就是不礼貌，”他解释说，“不过孩子用这种口气跟大人说话总有点那个……”

(3) 我拥护男女平等，可我这么个大男人去给一个女领导当秘书我老觉得有点那个。

9. 每次都是我**掏腰包**（tāo yāobāo）

付钱、花钱。

Pay out of one's own pocket.

(1) 车票他们说可以给你买，可吃饭的钱你就得自己掏腰包了。

(2)“请我们来还让我们自己掏腰包买午饭，没听说过！”小林气哼哼地说。

10. **谁让**（shéi ràng）我比他大**呢**（ne）

这种格式表示实际情况就是这样，所以无可奈何，没办法。

This pattern means this is a fact, so one has no choice.

(1) 在家里，父母管我，哥哥姐姐也管着我，没有我说话的地方，谁让我小呢！

(2) 这事怪不着别人，谁让我没本事呢，只会写小说。

(3)“其实，老人骂两句也没什么，谁让我是他儿子呢！”小李笑着说。

11. 这**一来二去**（yī lái èr qù）的，数目也不算小了

渐渐地、慢慢地。

Gradually.

(1) 我喜欢看戏，有时候去后台看她，请她吃饭，一来二去就成了无话不谈的好朋友。

(2) 以前，别人给他介绍女朋友，他也去见过，可不是人家看不上他，就是他看不上人家，总是不合适，一来二去的，他就失去了信心。

12. 可他跟**没事人**（méishìrén）似的

跟某件事没有关系，或不受某事影响，跟平常一样的人。常说“跟没事人似的”。

A person who is not affected or influenced by something. Often,“跟没事人似的”.

(1) 因为他的粗心，公司损失了一大笔钱，他心里很难受，可表面还是跟没事人似的。

(2) 妈妈说：“明天就要考试了，你怎么跟没事人似的还天天玩啊？”

(3) 我跑了三千米就再也跑不动了，可他跑完五千米，跟没事人似的。

13. 这事真让我**伤**（shāng）透了**脑筋**（nǎojīn）

发愁、头疼。

Troublesome; bothersome.

(1) 刚忙完了房子的事，他们俩又为孩子上幼儿园的事伤开脑筋了。

(2) 看见妈妈又在为他下学期的学费伤脑筋，他心里很不好受。

14. 你现在要是不给他个**硬钉子碰碰**（yìng dīngzi pèngpeng）

碰钉子 被拒绝、遇到挫折。

Be refused or rebuffed.

(1) 老高确实很有钱，可你要是向他借钱，那肯定要碰钉子。

(2) 他想，他跟老王是多年的朋友了，老王不会不答应的，可没想到碰了个软钉子，这让他好几天心里都不痛快。

15. 你还得**吃苦头**（chī kǔtóu）

遭受痛苦、磨难。

Suffer; go through hardship.

(1) 那时候，父亲为了一家人的生活，什么活都干过，吃了不少苦头。

(2) 他从十多岁就开始练拳击（boxing），吃了数不清的苦头，终于有了今天的成功。

16. 也就是你才这么**一而再，再而三**（yī ér zài，zài ér sān）地让着他

一次又一次，很多次（地做某事）。

Again and again; repeatedly.

(1) 她这么一而再，再而三地骗你，你怎么还相信她的话？

(2) 他一而再，再而三地让我去找那个当官的舅舅，让他帮我安排个工作，我都没答应。

17. 这种人在别处绝对**没有市场**（méiyǒu shìchǎng）

不受欢迎，不被接受。

Not be well received or welcomed.

(1)“我看咱们还是讨论讨论现代派的特色吧。”

“得了吧，现代派先锋派在中国没市场。”小宣说完转身走了。

(2) 那些男人都喜欢漂亮而没有头脑的女孩子，所以你不要太聪明了，要不你在男人那里可没有什么市场。

18. 我真**拉不下脸来**（lā bu xià liǎn lai）

碍于情面不好意思做某事。

Fear of hurting somebody's feelings by doing something, or embarrassed to do something.

(1) 我知道这样做不太好，可他是我的老师的儿子，所以我拉不下脸来拒绝他。

(2) 这件事让我们心里很不痛快，可他是我们的老邻居了，怎么也拉不下脸来跟他说。

19. 我们俩**说不到一块儿**（shuō bu dào yíkuàir）去

相互之间没有话说，没有共同语言。

Cannot get along with somebody.

(1) 在外面我没什么朋友，在家里也不十分快乐：父母和我根本说不到一块儿。

(2) 他对我说："我们虽说是亲兄弟，从小一起长大，可我们说不到一块儿！"

20. 不会**闹意见**（nào yìjian）

发生矛盾。

Be on bad terms because of difference of opinions.

(1) 他们俩经常为一点儿小事闹意见，可过不了两天就好了。

(2) 夫妻之间没有不闹意见的，关键是要处理好，要不然会影响夫妻感情的。

21. 你这个**炮筒子**（pàotǒngzi）可得改改脾气了

性格很直，有什么说什么的人。

A person who shoots his mouth off, says everything that's on his mind.

(1) 他是我们这儿有名的炮筒子，为此得罪了不少人。

(2) 明天开会的时候，你别又跟炮筒子似的，想好了再说。

22. 别**动不动就**（dòngbudòng jiù）跟人脸红脖子粗的

动不动（就）…… 很容易或经常发生。

Easily; frequently.

(1) 王经理动不动就发脾气，我们都很不喜欢他。

(2) 他的身体现在很糟糕，动不动就感冒，不能上班。

23. 别动不动就跟人**脸红脖子粗**（liǎn hóng bózi cū）的

人非常气愤的样子。

Flushed in anger.

(1) 吃完饭，几个人为由谁来付饭钱争得脸红脖子粗的，别人还以为他们在吵架呢。

(2) 为了这棵树，老张站在院子里脸红脖子粗地跟他吵了半天。

24. 是不是又**捅**（tǒng）了什么**娄子**（lóuzi）了

惹起麻烦或做了错事。

Make a blunder; get into trouble.

(1) 人们赶快把老人送进了医院，看见自己捅了这么个大娄子，两个孩子吓哭了。

(2) 他小时候非常淘气，没少给爸爸妈妈捅娄子，也没少挨爸爸的揍。

25. 他可真是个**软硬不吃**（ruǎn yìng bù chī）的家伙

不管别人怎么说、用什么方法都不改变自己的立场。

Both hard and soft tactics are useless, so one cannot change someone's stance or opinions.

(1) 那几个人也想进去，他们说了一大堆好话，也骂了一大堆难听的话，可老张软硬不吃，就是不让他们进去。

(2) 我各种办法都试过了，可他是软硬不吃，就是不同意。

练习

一、体会下面加线的词语：

(1) 他极慢地往家走去，不敢把被学校开除的事情告诉妈妈，妈妈这几天不大舒服。可是又不能不告诉，这不是丢了一支铅笔那样的事。怎么告诉呢？他思前想后，越想越糊涂。不必想了，先看看妈妈去，假若正赶上妈妈高兴呢，就告诉她。于是，他假装没事人似的进了妈妈的屋中。

(2) 在父母过世后的那些日子，我十分寂寞，就招朋友们来玩。后来，我也闹不清究竟谁那儿有我家的钥匙，反正我每次回家，房子里总是一大堆不认识的人又玩又闹，有几次我都不得不睡在地板上，可我又拉不下脸来赶人家走，不管怎么说，都是朋友嘛。

(3) 三婶知道他没事不来，来了肯定是有事，就问他："什么事？说吧！"立秋把事情一说，"就这么点事儿呀？嗐！没什么大不了的！行了，等老头子回来，我跟他说说！"事情就算办成了。

二、选用下面合适的词语填空：

伤脑筋　掏腰包　脸红脖子粗　一来二去　看不下去　一而再，再而三
闹意见　说不出口　睁一只眼闭一只眼　吃苦头　那个　捅娄子

(1) 他们俩差不多总是在这个时间坐这趟车，________就认识了，一聊起来才知道，两家住得还真不太远。

(2) 上级要求大家都得为扶贫做一件实在事，老张正为这事________呢。

(3) 性方面的知识，中国的妈妈们是绝对不会告诉他们的孩子的，她们觉得在孩子面前，"性"这个字________。

(4) 两个人常常为看哪个电视节目争得________，最后谁也看不好。

(5) 老人说："年轻人的生活习惯跟咱们老人不一样，他们怎么样你别管，遇到看不惯的，你就________，没必要生气。"

(6) 现在不好好保护环境，将来想保护也没法保护了，到那时人就该________了。

(7) 开始我并不想去骑什么马，可钱经理________地请我去，我也就不好意思推辞了。

(8) 周末的时候，女朋友想去游泳，可小王想去爬山，为这事，女朋友跟他________了，一个星期都没给他打电话。

(9) 人家难过得要死，你们却在这儿又唱又跳的，是不是太________了？

(10) 为了能进国家队，李扬天天在球场上练球，腿受了好几次伤，没少________。

(11) 上次妈妈被你气得差点进了医院，你就老实点儿吧，别再________了。

(12) 他是大老板，有的是钱，跟他出去玩儿还用咱们自己

________。

三、完成下面的对话：

(1) A：老张人长得高高大大的，工作上也挺有能力的。
B：是啊，不过，他________，真让人受不了。(动不动)

(2) A：那个孩子________，我最烦这种孩子。(动不动)
B：我也不喜欢这样的孩子。

(3) A：他们几个就会说，说得比谁都好听，可一干起事来就都不行了。
B：________。(没有市场)

(4) A：怎么样，他们答应帮我们了吗？
B：唉，________。(碰钉子)

(5) A：这事经理一定不会同意的，________。(碰钉子)
B：不，我得试试，不试怎么知道就不行呢？

(6) A：爸爸要是发现你把他的电脑弄坏了，那可怎么办哪？
B：________。(没什么大不了的)

(7) 妈妈：你退休也不能老在家里呆着呀，你去找老张他们聊聊天嘛。
爸爸：________。(说不到一块儿)

(8) A：你看，我老是给你添麻烦，我这心里真是……
B：________。(……是谁跟谁)

(9) A：入学考试是不是挺难的？
B：可不，________。(A到家)

(10) 奶奶：挺大的姑娘怎么说话这么没礼貌啊，我得好好说说她。
爸爸：算了，________。(睁一只眼闭一只眼)

(11) A：那些人太过分了，怎么能把错儿都推到你身上呢？你干吗不解释清楚呢？
B：唉，________。(谁让我……)

(12) A：他们也不是小孩子了，________。
(说也不是，不说也不是)
B：跟这样的人打交道你得多点儿耐心。

第六课

有的路口都乱成一锅粥了

（在出租汽车上）

司机：我刚从那边过来，前边路口出事了，人围得**里三层外三层**的，车根本过不去，我看咱们最好走三环，虽说绕一点儿远，可不堵车。您说呢？

乘客：行，您**看着办**吧，反正是越快越好，哎，您认识我说的地方吧？

司机：不瞒您说，我的外号叫"活地图"，全北京没有我不认识的地方，您放心好了，保证耽误不了您的事儿。

乘客：那太好了。哟，这三个包子就是您的午饭哪！

司机：可不，一天到晚在路上跑，中午饭从来都是瞎凑合，谁舍得把辛辛苦苦挣来的**血汗钱**花在吃喝上？这钱得花**在刀刃上**，您说是不是？

乘客：是啊，现在挣钱都不容易啊。

司机：干我们这行的，天天起早贪黑不说，还老担着心，您看现在的街上，车多人多路窄，还有不少**二把刀**司机，真让人头疼。

乘客：北京的交通一直是个**老大难**问题。

司机：这路上动不动就堵车，有的时候明明知道前面堵车，可乘客非要那么走，咱也得**硬着头皮**往前开，堵就堵吧，乘客是上帝嘛。

乘客：有的路口都乱成**一锅粥**了，看来没有警察是真不行。

司机：是啊。警察就是厉害，上回我停车停得**不是地方**，那个警察**鼻子不是鼻子脸不是脸**地训了我一顿。可人家乘客非要在那儿停，唉，我们这些出租车真没办法，一边是乘客，一边是警察，哪边儿都不敢得罪，唉，常常**里外不是人**，闹不好本子就扣了。

乘客：警察也不容易啊。

司机：是啊，我们每天都和警察打交道。现在交通一不好，就有人说应该**拿出租车开刀**，说我们这个那个的，其实我们最守规矩，最怕交通不好，老堵车的话我们连饭钱都挣不出来。

乘客：我看你们都特别能说，山南海北知道的挺多，有的还特别幽默。

司机：其实我们知道什么呀，还不是**现买现卖**？一聊起天就忘了烦了，要不，整天一个人坐车里，这心里**要多**烦**有多**烦。不过这聊天也得看人，要是人家乘客不愿意聊，咱就赶紧闭上嘴，别**找不自在**。

乘客：您开出租什么人都能碰上吧？

司机：可不。我见识过的人**多了去了**，有好的，也有差劲儿的。

乘客：看样子您开车**有年头**了。

司机：小六年了。要不是供孩子上学，**手头儿紧**，我早不干了。不过，**话说回来**，就咱这**大老粗**，要学问没学问，要技术没技术，比**睁眼瞎**强不了多少，不开车又能干什么呢？

乘客：哎哟，小心！呵，吓我一身冷汗！

司机：放心，咱的技术**顶呱呱**。

乘客：还是小心点儿好！不怕一万，就怕万一嘛。

注 释

1. 三环：指北京的三环路。
2. 起早贪黑：起得早，睡得晚，形容人很勤劳。（work from dawn to dusk）
3. 训（xùn）：严厉地批评。（reprimand）
4. 得罪（zuì）：让别人不高兴或让别人恨。（offend）
5. 本子：指汽车驾驶证。（driver's license）
6. 扣（kòu）：（警察）把人或东西留住不放。（detain）
7. 不怕一万，就怕万一：俗话，意思是做好各种准备，防备出现极小的意外。

例 释

1. 人围得**里三层外三层**（lǐ sān céng wài sān céng）的
   很多或很多层。

Completely surround; wrapped or bundled up with clothing.

(1) 卖火车票的窗口被人们里三层外三层地围着，后面的人根本看不见牌子上的字。

(2) 入学那一天，学生们把办公室围得里三层外三层的。

(3) 老奶奶对我说：“现在还没那么冷，别给孩子穿得里三层外三层的。”

2. 您**看着办**（kànzhe bàn）吧

根据情况自己决定。

Decide something by oneself given the situation.

(1) 这件事就交给你们了，你们看着办吧，能帮多大忙就帮多大忙，别太为难。

(2) 买礼物的事你看着办吧，花多少钱都无所谓，只要他喜欢就行。

(3) 反正邀请信我放在这儿了，去还是不去，你看着办。

3. 谁舍得把辛辛苦苦挣来的**血汗钱**（xuèhànqián）花在吃喝上

比喻辛勤劳动挣来的钱。

Money earned by hard toil.

(1) 我去英国留学的时候，父母把他们全部的钱都给了我，这可是他们的血汗钱哪！

(2) 为了救儿子的命，他们不仅花光了几十年积攒下的血汗钱，还借了很多钱。

4. 这钱得花**在刀刃上**（zài dāorèn shang）

比喻最需要、最能发挥作用的地方。

The edge of a knife, where it is needed most.

(1) 咱们的钱不多，所以不该买的东西一定不能买，要把这些钱花在刀刃上。

(2) 那些不重要的事可以不管它，我们要把力量用在刀刃上。

5. 还有不少**二把刀**（èrbǎdāo）司机

技术不好、水平不高或技术不太好的人。

A person who has only a superficial knowledge of a subject.

(1) 画画儿虽然学了几年，但毕竟没进过专门的学校，所以只能算是个二把刀。

(2) 看你找来的二把刀厨师，顾客越来越少了。

(3) 本来电视只是没有声音，可这个二把刀师傅一修，连图像也没有了。

6. 北京的交通一直是个**老大难**（lǎodànán）问题

复杂的、难以解决的问题。

Long-standing, complex and difficult problem.

(1) 流动人口多，环境卫生差，一直是我们这儿的老大难问题。

(2) 这是我们公司的一个老大难问题，要想解决可不是容易的事。

7. 咱也得**硬着头皮**（yìngzhe tóupí）往前开

不愿意但是没办法、勉强。

Force oneself to do something against one's will.

(1) 为了找工作，他硬着头皮去找亲戚、朋友和过去的同学，求他们帮忙。

(2) 听到这个消息，她急得不得了，可在这儿她一个亲戚也没有，只得硬着头皮去找前夫。

(3) 他知道父亲叫他准没好事，可又不能不去，只好硬着头皮走进父亲的屋子。

8. 有的路口都乱成**一锅粥**（yì guō zhōu）了

形容混乱的样子。

All in a muddle; a complete mess.

(1) 主持人的话还没说完，会场已经乱成一锅粥了。

(2) 远远地看见汽车来了，顿时车站上等车的人们挤成了一锅粥。

9. 上回我停车停得**不是地方**（bú shì dìfang）

地方不对或不合适。

Not in the right place; this is not the proper place.

(1) 这个沙发放得真不是地方，出来进去特别碍事。

(2) 写小说不怕用通俗的词语，可就怕这些词语用得不是地方。

(3) 这句话本身并没有错，可你说的不是地方，所以让人家不高兴。

10. 那个警察**鼻子不是鼻子脸不是脸**（bízi bú shì bízi liǎn bú shì liǎn）地训了我一顿

很不高兴、脸色很难看。

Have an angry expression.

(1) 我一说要去跳舞，他就鼻子不是鼻子脸不是脸的，以后我就不跳了。

(2) 他最怕农村的亲戚来，他们一来，妻子就鼻子不是鼻子，脸不是脸的，让他很难受。

11. 常常**里外不是人**（lǐ wài bú shì rén）

惹双方生气，被双方责备、批评。

Offend and be blamed by two sides; be caught in the middle.

(1) 他希望家里不要有争吵，他拼命跟妈妈说好话，跟妻子说好话，可常常不知道哪句话没说好，妈妈生气，妻子也生气，让他里外不是人。

(2) 老王既不想得罪经理，又不愿意在工人那儿当恶人，他觉得这个工作让他里外不是人。

12. 现在交通一不好，就有人说应该**拿**（ná）出租车**开刀**（kāidāo）

拿某人或某事作为典型或开端来批评、处理。

Punish somebody first as a warning to others; make an example of someone or something.

(1) 批评我的人，全都拿我的这篇小说开刀，说这篇小说的内容是完全不可能存在的。

(2) 小王今天迟到让厂长看见了，厂长在全厂大会上点名批评了她，还要扣她的奖金。大家都明白，厂长这是拿小王开刀，以后谁要是迟到，就跟小王一样。

13. 其实我们知道什么呀，还不是**现买现卖**（xiàn mǎi xiàn mài）

刚学到或刚听到就马上说出来、表现出来。

(Sell something as soon as it is bought) means to talk about something one just heard or read and does not fully understand.

(1) 明天见面你就跟她侃普希金，给你一本书参考参考，现买现卖也来得及。

(2) 你别在这儿现买现卖了，你说的我在你哥哥那儿刚听过。

14. 这心里**要多**（yào duō）烦**有多**（yǒu duō）烦

要多＋形容词＋有多＋形容词　表示程度很高。

Very; extremely.

(1) 他很喜欢唱歌，可他唱得要多难听有多难听，所以他一开始唱歌我们就捂耳朵。

(2) 你想想，在农村，一个女人带着三个孩子，还得供我上学，那日子要多难有多难。

(3) 妈妈非让我去向她道歉，我这心里是要多别扭有多别扭。

15. 别**找不自在**（zhǎo bú zìzai）

自己找麻烦、找不愉快。

Look for trouble; suffer from one's own action.

(1) 老王这会儿正生气呢，你这时候去跟他说这件事，他肯定会把你大骂一顿的，我看你别去找不自在，有什么事过两天再说。

(2) 李老师最不喜欢听见学生们打架、骂人，你在他面前跟小胖打架，那不是找不自在吗?

16. 我见识过的人**多了去了**（duō le qù le）

形容词 + 了去了 表示程度高。形容词都是单音节的，常见的有“大、高、贵、深、远、多”等。

Very; awfully; highly. The adjectives are monosyllabic, such as “大”, “高”, “贵”, “深”, “远”, “多”.

(1) 村子南边的那个山沟深了去了，还从没有人下去过呢。

(2) 以前，树林里野兔、山鸡什么的，多了去了，后来树林越来越小，里边什么动物也看不见了。

(3) 这几十年我遇到的倒霉事多了去了，所以这件事对我来说根本算不了什么。

17. 看样子您开车**有年头**（yǒu niántóu）了

很多年。

For a long time; for many years; old.

(1) 这把椅子有年头了，修过好多次，可妈妈还是舍不得扔。

(2) 他在这儿住可是有年头了，大人小孩没有不认识他的。

18. 要不是供孩子上学，**手头儿紧**（shǒutóur jǐn）

没有钱或钱不够用。

Have no money or not have enough money.

(1) 你要是手头儿紧的话，房租下个月再交也行。

(2) 那时候父母工资低，还要养两个孩子，月月手头儿紧，哪儿有钱给我买什么玩具呀!

(3) 上个月我刚买了一台电脑，所以现在手头儿有点儿紧，旅行的事以后再说吧。

19. **话说回来**（huà shuō huílai）

表示从另外一个角度或相反的方面来说。

It means consider both sides of a topic.

(1) 他人过于老实，不爱说话，不过话说回来，谁都会有缺点的。

(2) 有的人很不自觉，你看，那片草地让人踩出了一条小道，不过，话说回来，他们要是不把办公室的窗口开在那儿，谁又去踩草呢？

20. 就咱这**大老粗**（dàlǎocū）

没有文化的人。

Uneducated and uncultured person.

(1) 我是一个普通的工人，大老粗，哪儿知道什么国家大事啊？

(2) 别看他没上过学，是个大老粗，可肚子里的故事真不少。

21. 比**睁眼瞎**（zhēngyǎnxiā）强不了多少

不识字的人，文盲。

An illiterate person.

(1) 老奶奶找到我，对我说："孩子，帮我念念这封信，奶奶不识字，是个睁眼瞎。"

(2) 过去在农村，女人们大都是睁眼瞎。

22. 咱的技术**顶呱呱**（dǐngguāguā）

非常好。

Excellent; in tip-top shape.

(1) 就算你的外语顶呱呱，可要是没有一个好专业，也不一定能找到好工作。

(2) 他在厂子里是个顶呱呱的技术能手。

(3) 杨军踢了好几年足球了，他的球技顶呱呱，我们就选他当队长吧。

练　习

一、选用合适的词语填空：

二把刀　有年头　顶呱呱　看着办　大老粗　一锅粥　硬着头皮

多了去了　里三层外三层　鼻子不是鼻子脸不是脸　手头儿紧

不是地方

(1) 这儿的房子都________了，破得不成样子，所以一到下雨我们就紧张，要是哪儿倒了，砸着人，我们的责任就大了。

(2) 我毕业分配的时候，问他的意见，他说："你________吧，只要你觉得好我就觉得好。"

(3) 布料是从南方买回来的，本想做件旗袍，可碰上个________裁缝，给我做坏了，真可惜。

(4) 通知上说让我两天之内报到，看到通知家里一下子乱成了________，都忙着给我准备要带的东西。

(5) 姨妈看见我穿了这么一身破衣服，赶快打电话问我妈是不是________，让我妈缺钱花就告诉她。

(6) 迷迷糊糊地走到东四牌楼，他很想偷偷地离开队伍。可是他又不敢这样办，怕蓝先生责骂他。他只好________向前走，两个腿肚子好像要转筋似的那么不好受。

(7) 他妈偶尔到我们家来"视察"，总是"你的暖壶放的________，毛巾该洗洗了"这些。所以他妈一来之前，我们就提前搞"爱国卫生运动"。

(8) 我妈妈比我爸爸小 10 岁，就在工厂里当工人，爸爸当官当惯了，总是训斥她，她要说点儿什么，爸爸就说："你________懂什么！"所以家里的气氛一直不好。

(9) 喜欢文学、对文学感兴趣的人________，可是有几个真的成了作家？

(10) 这时候看热闹的人早将那里围得________的，他怎么挤也挤不进去，就大声喊："让我进去，我是死者的亲戚。"

(11) 老张脾气不好，他的脾气要是上来了，就连经理他也敢________地训一顿。

(12) 我们厂生产的电视机不光外型好看，质量也是________的，在市场上卖得很火。

二、完成下面的对话：

(1) A：北京＿＿＿＿＿＿＿＿。(要多 A 有多 A)
B：真的？那我今年放假一定去北京看看。

(2) A：昨天的篮球比赛怎么样？我昨天回来晚了，没看着。
B：＿＿＿＿＿＿＿＿。(要多 A 有多 A)

(3) A：我让小杨来帮我搬点儿东西，可他没来，太不像话了。
B：不过，＿＿＿＿＿＿＿＿。(话说回来)

(4) A：你也认为父母不可以打孩子？
B：从法律的角度来说，不可以，可＿＿＿＿＿＿＿＿。(话说回来)

(5) A：你从来都没当过导游，人家导游到哪儿都得给游客介绍一大堆有趣的事，你行吗？
B：＿＿＿＿＿＿＿＿。(现买现卖)

(6) A：你既然不同意王经理的安排，为什么不直接跟他说呢？
B：他从来没听过我们的意见，我＿＿＿＿＿＿＿＿。(找不自在)

(7) A：咱们家的电视都看了七八年了，换个大点儿的吧，也不太贵。
B：过两年孩子就要上大学了，咱们的钱不多，得＿＿＿＿＿＿＿＿。(在刀刃上)

(8) A：你不跟我去，我怎么知道买什么合适呢？
B：你＿＿＿＿＿＿＿＿，买二百块钱左右的就行。(看着办)

第七课

这都是看爱情小说看的

（李美英正在和张丽红在房间里聊天儿）

李美英：小红，你和刘宁还**谈得来**吧？你有什么想法就跟我说，别**脸皮薄**不好意思，我又不是外人。

张丽红：刚见了两次面儿，怎么说呢？还算谈得来吧，就是他的个儿……

李美英：哦，你是嫌他个头矮呀。小红，大姐是**过来人**，跟你说句贴心话，看外表是最靠不住的，个儿高管什么用？**绣花枕头**似的，好看倒是好看，可跟那种人过日子，将来有你**哭鼻子**的时候。外表**说得过去**就行了，关键要看他是不是对你好。

张丽红：**一时半会儿**谁能看得出来呀。

李美英：那倒是。说真的，你们俩真是天生的一对儿，以后办喜事可别忘了我这个红娘啊，我为你们的事腿都跑细了。

张丽红：你别开玩笑了，**八字还没一撇**呢。不过，不管成不成我都得谢谢你这个**热心肠**。

李美英：有你这句话就行，到时候咱们就去王府饭店吃一顿。

张丽红：我没问题，那你还减不减肥了？

李美英：吃完再减。哎，**说正经的**，刘宁真是个**打着灯笼也难找**的小伙子，工作上是**没的挑**，性格也好，没看他**跟谁红过脸**，心里再不高兴，也没**给谁脸色看**过，年纪不大，模样**不起眼儿**，可说话办事特别**有分**

寸。**总之一句话**，是个好小伙子。

张丽红：美英姐，俗话说“吃人家的嘴软，拿人家的手短”，老实说，刘宁给你什么好处了，你这么卖力地替他说好话？

李美英：你别冤枉我，我是觉得小伙子不错才把他介绍给你，我说的没有一句假话，我们那儿谁都夸他是个**好样的**，你可别糊涂，要是**过了这村**可就**没这店儿**了。

张丽红：开个玩笑。不过这是一辈子的大事，急不得，我得好好想想啊。

李美英：哎，我跟你说，我听说，他的存款**少说**也得六个数。

张丽红：我可不是冲他的钱去的，我要是图钱，早找别人去了。我也不是很在乎他的外表，只要有爱情，哪怕他是个**穷光蛋**我也嫁给他，没有爱情，他就是有金山银山我也不动心。

李美英：要真找个穷光蛋，连饭都吃不上，我看你还谈什么爱情。你成天爱情、爱情的，一点儿也不现实，这都**是**看爱情小说**看的**，以后你少看那玩意儿，全是骗人的。

张丽红：你说话怎么**跟**我妈**一个腔调**？没有爱情的婚姻是不道德的婚姻，说实话，你现在幸福吗？当初你要是不听你妈的，跟你的那个大学生结婚，你今天……

李美英：说你的事，怎么扯到我身上了？不管怎么说，我告诉你，你得抓紧，别让这**煮熟的鸭子飞了**。

张丽红：**什么**鸭子**不**鸭子**的**，真难听。

李美英：难听就难听吧，你明白那个意思就行了。

注　释

1. 外人：没有亲友关系的人。
2. 靠不住：不可靠，不能相信。
3. 天生：天然生成的。
4. 办喜事：指举办婚礼，结婚。
5. 红娘：指婚姻介绍人。

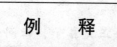

例　释

1. 你和刘宁还**谈得来**（tán de lái）吧

有共同的兴趣，在一起有话说。相反的意思说“谈不来”。

Get along well with somebody. The opposite is “谈不来”.

(1) 他们是在晚会上认识的，彼此很谈得来。

(2) 我从很久以前就希望和钱老人谈一谈。在我的世界里，只有三个可以谈得来的人：弟弟、赵先生，还有就是钱老人。

2. 别**脸皮薄**（liǎnpí báo）不好意思

容易害羞、不好意思。相反的意思说“脸皮厚”。

Thin-skinned; very sensitive; shy. The opposite is “脸皮厚”.

(1) 他跟老人说了半天，老人脸皮薄，不好意思拒绝他，只好说：“那就试试看吧。”

(2) 二姐心里喜欢李老师，就买了两张电影票想请李老师看电影，可脸皮薄，不好意思自己给他，非让我去。

3. 大姐是**过来人**（guòláirén）

对某事亲身经历过的人。

A person who has already experienced something.

(1) 对这些年轻人她有办法，她是过来人，知道怎么说才能让他们都听进去。

(2) 你是过来人，你一定能理解我当时的心情。

4. **绣花枕头**（xiùhuā zhěntou）似的

外表好看但没有能力没有学问的人。

An outwardly attractive person who lacks ability and intelligence.

(1) 他看上去像个电影演员，吸引了不少女孩子，可了解他的人都在背后叫他绣花枕头。

(2) 我不喜欢绣花枕头似的男人，我要找个有本事、有能力的男人。

5. 将来有你**哭鼻子**（kū bízi）的时候

哭。

Snivel; cry.

(1) 爸爸回到家，看见小海正哭鼻子，忙问他发生了什么事。

(2) 阿姨也过来劝：“你看你看，别人都看你了，穿得这么漂亮的小孩儿还哭鼻子，多难看啊。”

6. 外表**说得过去**（shuō de guòqù）就行了

合乎情理或马马虎虎还可以。

Passable.

(1) 平时工作忙，离不开，不回家还说得过去，可春节大家都放假了，再不回去看看就有点儿说不过去了。

(2)“可是我确实是因为有事，我……”马林还没来得及编出一个说得过去的借口，那位警察便微笑着打断了他。

7. **一时半会儿**（yì shí bàn huìr）谁能看得出来呀

在短时间里。

A short while; a short period of time.

(1) 我对姐姐说：“孩子刚睡着，一时半会儿还醒不了，你赶快睡一会儿吧。”

(2) 看见大家都围在床边，奶奶说：“我这病我知道，一时半会儿还死不了，你们别都守着我，该干什么干什么去吧。”

8. **八字还没一撇**（bā zì hái méi yì piě）呢

比喻事情还没有头绪，离完成或成功还很远。

The literal meaning is “not even the first stroke of the character ‘八’ is in sight”; the real meaning is “there is not even the slightest sign of anything happening yet”.

(1) 小王说，第一次去女方家，要不要买点什么，要不要扎根领带。我说不用，八字还没一撇呢，不要搞得过于隆重，容易让人家也紧张，只当随随便便去串门就行了。

(2)“老赵真能给我找个工作吗？”天明问。

“那可没准儿。”

“要是找着事儿，咱们可就不用做买卖了，我就可以买套好衣服了。”天明越想越高兴。

“八字还没有一撇呢，先别美！”老杨头儿白了儿子一眼。

9. 不管成不成我都得谢谢你这个**热心肠**（rèxīncháng）

很热情、积极帮助别人的人。

A person who is warmhearted.

(1) 老北京人，尤其是那些大妈、大婶，都是热心肠，谁家有事都少不了她们。

(2) 那个姑娘虽然模样不怎么样，可绝对是个热心肠，你有什么事可以去找她。

10. **说正经的**（shuō zhèngjing de）

在这里表示不开玩笑了，谈主要的或重要的事。

No longer joking, wanting instead to talk about something important.

(1) 你们老爱开我的玩笑，说正经的，你们谁看见李眉了，我找她有事。

(2) 不懂我可不敢瞎说，说错了让人家笑话，说正经的，咱们得好好看看这方面的书。

11. 刘宁真是个**打着灯笼也难找**（dǎzhe dēnglong yě nán zhǎo）的小伙子

比喻很难得。

Rare; one in a million.

(1) 他以前花钱请人给他写剧本，有时还请不到，眼前这个人，愿意白给他写，还愿意教他的孩子。这样的好事，打着灯笼也找不着啊。

(2) 我妹妹这样的人，你打着灯笼也找不到第二个。

12. 工作上是**没的挑**（méi de tiāo）

很好，找不出缺点或不足来。

Very good, without shortcomings.

(1) 屋子里的家具都是进口的，质量没的挑，样式也很新潮。

(2) 他新找来的秘书办事没的挑，让他轻松了不少。

13. 没看他**跟**（gēn）谁**红过脸**（hóng guo liǎn）

跟……红脸 跟别人吵架、闹意见。

Have words with someone; quarrel.

(1) 我们夫妻一起生活了三十多年，我从没跟他红过脸，他也从没跟我吵过架。

(2) 李老汉老实了一辈子，长这么大没跟人红过脸，好人坏人都没得罪过。

14. 也没**给**（gěi）谁**脸色看**（liǎnsè kàn）过

给（某人）脸色看 对某人表现出不愉快的、讨厌他的脸色。“脸色”也说“脸子”。

Show anger at or dislike of somebody.

(1) 这次我的穷亲戚来了以后，她没像以前那样给人家脸色看，这让我松了一口气。

(2) 以前去商店买东西，我们不敢挑，现在好了，你怎么挑都行，挑了半天不买也不用担心售货员给你脸色看。

15. 模样**不起眼儿**（bù qǐyǎnr）

不突出、不特别，很一般。

Not outstanding; average.

(1) 我们代表团住的宾馆地处僻静的小街，是一座在东京绝对不起眼的楼。

(2) 侯家大院的门面极不起眼，可走进去就不一样了，丝毫不比王府差。

(3) 在学校的时候最普通、最不起眼的小赵，现在却成了远近闻名的发明家。

16. 说话办事特别**有分寸**（yǒu fēncùn）

说话或做事很适当，不过分。

Have a sense of propriety.

(1) 在外面你说话可要有分寸，不能像在家里似的有什么说什么，不管别人怎么想。

(2) 如果确实有这个必要，骂也是可以的，但骂得要有分寸，别把他骂急了。

17. **总之一句话**（zǒngzhī yí jù huà）

这个句子是用概括的话总结前面所说的。

In a word; in short.

(1) 我已经跟你解释了半天了，总之一句话，出现这种事跟我们没有关系，我们没责任。

(2) 那里的山美、水美，人更美，总之一句话，非常值得一去。

18. 我们那儿谁都夸他是个**好样的**（hǎoyàngrde）

很好的人。

Great fellow, good person.

(1) 老王说："说别的人我不了解，要说小赵啊，那可真是个好样的！"

(2) 那个警察真是个好样的，一个人打倒了三个坏蛋。

19. 要是**过了这村**（guòle zhè cūn）可就**没这店儿**（méi zhè diànr）了

比喻机会很难得，失去了就不会再有了。

Do not let an opportunity pass you by, as it may never come again.

(1) 他一边喝酒一边对我说："年轻的时候应该快活，该快活的时候不去快活，那是傻子。跟你说，过了这村便没有这店儿！到老了还不知道怎么样呢。"

(2) "你说的这个价钱我得回家去商量一下！"

刘麻子不耐烦地说："告诉你，过了这村可没有这店儿，要是耽误了事你可别怨我！快去快回吧。"

20. 他的存款**少说**（shǎo shuō）也得六个数

至少。

At least.

(1) 王厂长问："厂里像这一家生活这么困难的工人，还有多少？"

我说："少说也有几百户。"

(2) 老太太少说也有七十岁了，可走起路来一点儿也不慢。

21. 哪怕他是个**穷光蛋**（qióngguāngdàn）我也嫁给他

很穷的人。

Pauper; poor person.

(1) 我们觉得他是那么可怜，觉得他的老父亲更可怜。可我们是拿助学金的穷光蛋学生，没办法帮助他们，只能表示我们的同情而已。

(2) 他不愿意女儿嫁个又没地位又没钱的穷光蛋，可女儿一点儿也不听他的。这件事真让他头疼。

22. 都**是**（shì）看爱情小说看**的**（de）

是 + 动词 + 宾语 + 动词 + 的　出现一个坏的结果是因为做了某事（动词 + 宾语）。

This pattern means that doing something (V + O) is the cause of an unhappy result.

(1) 你眼睛不好，就是躺着看书看的。

(2) 他那么胖，就是吃肉吃的，他要是一个月不吃肉，肯定能瘦下来。

(3) 妈妈说："你这次感冒发烧，就是穿裙子穿的。我没见过大冬天还有穿裙子的。"

23. 你说话怎么**跟**（gēn）我妈**一个腔调**（yí ge qiāngdiào）

跟（某人）一个腔调　跟某人的观点或说法一样。常含贬义。

Sound just like (somebody). Usually, it contains a negative connotation.

(1) 在我们家什么事问爸爸一个人就够了，因为妈妈从来都是跟爸爸一个腔调。

(2) 你这么年轻，怎么说起话来跟那些老太太一个腔调，思想那么不开放。

24. 别让这**煮熟的鸭子飞了**（zhǔ shú de yāzi fēi le）

比喻已经到手的好机会或好的事物又失去了。

Let the opportunity slip through one's fingers.

(1) 为了儿子的婚事，他们已经花了不少钱，说好今年冬天就结婚，可现在这煮熟的鸭子飞了，你说他们能不着急吗？

(2) 给你的那笔钱我给你存在银行里了，你就放心好了，煮熟的鸭子飞不了。

25. **什么**（shénme）鸭子**不**（bù）鸭子**的**（de）

什么 A 不 A 的　在对话中用，表示不同意或不赞成对方所说的“A”。

It is used in dialogue, indicating the speaker does not agree with what the listener said.

(1)“这件颜色有点儿暗，样式也不太时髦，我看还是换件别的吧。”

“什么时髦不时髦的，能穿就行了，太时髦了我也穿不出去。”

(2)“谢谢您，真是太麻烦您了。”

“什么麻烦不麻烦的，都是朋友，别那么客气。”

练　　习

一、体会下面加线的词语：

(1) 现在，他的大儿子已经工作了，在一家大公司上班。二儿子也快大学毕业了，不久当然也能有个体面的工作。三儿子还在中学，将来也有入大学的希望。女儿呢，师范毕业，现在是个小学老师。看着他的子女，他心中虽然不是十二分满意，可是觉得比上不足比下有余，总算还说得过去，至少比他自己强得多。

(2) 有一种想法，据我看，是不大对的：有的人以为既是写快板，就可以手到擒来，用不着多思索，所以八字还没有一撇，就先写上“牡丹花，红又红”。这不大对。这是看不起快板。既看不起它，就用不着好好地去写，结果是写不好。

二、选用合适的词语填空：

过来人　谈得来　有分寸　哭鼻子　热心肠　脸皮薄　不起眼　穷光蛋

一时半会儿　说正经的　绣花枕头　打着灯笼也难找

(1) 妈妈：小红怎么还不过来吃饭？她怎么了？

爸爸：刚才我批评了她两句，这会儿可能在屋子里________________呢。

(2) A：我只是跟她开个玩笑，她怎么气成那个样子？至于吗？

B：你开玩笑也得________________，人家刚结婚，你开那种玩笑太不合适了。

(3) A：听说卡拉OK比赛小王得了第一名，没看出来他还真有两下子。

B：是啊，小王平时确实________________，我们还以为他根本不会唱歌呢。

(4) A：咱们是不是早点儿下楼去？让老张等咱们恐怕不太好意思。

B：别着急，他________________来不了，他爱人打电话说他现在还在路上呢。

(5) A：小冯这个人真不错，每次我请他帮忙他都特别痛快。

B：他是个________________，一向是把朋友的事当成自己的事。

(6) 妹妹：你和雨生哥不是挺________________吗？为什么你不和他结婚呢？

姐姐：妹妹，你还小，感情的事你不懂。

(7) A：你们第一天上街卖报纸，感想一定不少吧？

B：可不，我们男生还好，很快就适应了，那几个女生________________，不敢大声喊，抱着报纸站在那儿，红着脸一声不出，半天一张也没卖出去。

(8) A：老板再怎么不公平，我也不敢说什么，你知道找个工作有多难啊。

B：我是________________，我知道当秘书的滋味，特别是有那么个不讲理的上司。

(9) A：去美国进修？这样的机会可是________________啊，别人做梦都想去呢。

B：我当然也想去，可我妈妈怎么办？她都那么大岁数了。

(10) A：警察问我们，这么多钱是从哪儿来的？

B：是啊，看你们穿得跟________________似的，哪儿去得起那么高级的地方啊？

(11) A：你们就爱开我的玩笑，________________，明天谁愿意跟我一起去？

B：还是你自己去吧，我们跟你去不合适。

(12) A：光靠咱们俩肯定搬不动，我看找小刚帮咱们一把吧。

B：他那个________________能有多大劲儿，不如把隔壁李大哥叫来。

三、完成下面的句子：

(1) 姐姐：你现在要是不努力，不好好学习，将来后悔都来不及。

弟弟：________________。(跟……一个腔调)

(2) A：表妹结婚，咱们送礼可不能凑合。

B：是啊，________________。(少说)

(3) A：您真是帮了我的大忙了，这个箱子多少钱？您告诉我，我得给您。

B：________________。(什么A不A的)

(4) A：这孩子怎么刚上中学就戴上眼镜了？

B：________________。(是V+O+V+的)

(5) 儿子：妈妈，您看我的球鞋又破了。

妈妈：你穿鞋太费了，________________。(是V+O+V+的)

(6) A：你看到那天我穿什么衣服合适？要不我再去买件新的？

B：________________。(八字还没一撇)

第八课

在工作上他向来一是一，二是二

（小赵和同事庆春在办公室里）

小赵：庆春，快来帮我一把吧，我把办公室**翻了个底儿朝天**也没找到那份文件。要是丢了，合作的事就得**泡汤**了，合作的事要是泡汤，我的**饭碗**也就**砸**了。

庆春：你呀，怎么这几天老是丢三落四的，上班的时候还老**打瞌睡**，要是让经理看见了，**有你好看的**。

小赵：你不知道，家里来了几个**八竿子打不着**的亲戚，一天到晚乱哄哄的，闹得我觉也睡不好。你说，他们早不来晚不来，怎么偏偏这时候来？要是我被**炒**了**鱿鱼**，我就**找**他们**算账**去。

庆春：哎，经理为了那份合同急得**热锅上的蚂蚁**似的，昨天不知道为什么冲王秘书又**发**了一通**脾气**，让王秘书特别**下不来台**。你可别**往枪口上撞**，快好好找找吧，找不着麻烦就大了。

小赵：唉，我都找了半天了，哪儿都找了，就是没有！要找不到，我可怎么**向**经理**交代**呀，经理还说事成之后请客呢。

庆春：请客？你就别想了，这种事他说完就**忘到脑后头**了，我们早就**摸透了**他的**脾气**。再说，你看他每天忙得**脚底朝天**的，哪儿有时间啊。

小赵：噢，闹了半天他是在**放空炮**啊，我还真当真了。

庆春：不过，在工作上他向来**一是一，二是二**，一点儿不含糊。这点让人挺佩服的。

小赵：就是有时候**鸡蛋里挑骨头**，认真过头了。要我说，他有点儿**一根筋**。那天，为了一个日期，好像要**跟我没完**，至于吗？当着那么多人的面儿，让我的**脸都没地儿搁**。

庆春：不过，好在他这人说完就完了，不往心里去，工作起来也挺**玩儿命**的，常常是**刀子嘴豆腐心**，没有坏心眼儿，所以在咱们这儿还相当有人缘儿。

小赵：昨天听小刘说他有个第三者，是吗？他**大小**也是个经理，怎么能这样呢？

庆春：这事我不清楚，不敢乱说。听他们说得倒是**有鼻子有眼**的，不过我看不像。再说，自己的事还管不过来呢，**甭管**人家的**闲事**。

小赵：哎，你说那份文件我能放在哪儿呢？事情要真砸在我手里，我在这儿就没法儿呆了。

庆春：你想想带回家没有？要是放在办公室，肯定丢不了。好好想想。

小赵：我们家现在都**乱了套**了，我哪儿敢带回家呀。办公室就这么巴掌大的地方，我能放在哪儿呢？

庆春：那，昨天你看完报纸以后是不是顺手儿都卷在一起了？

小赵：哎哟，亏你提醒我，对，十有八九就在那堆报纸里，我现在就去找。

注　释

1. 丢三落（là）四：马虎或者爱忘事，常常丢东西。（forgetful）
2. 过头：超过限度，过分。（overdo）
3. 人缘儿：与周围人的关系。
4. 第三者：指与夫妇中的一方有不正当的男女关系的人。
5. 顺手儿：顺便。（conveniently）
6. 十有八九：很有可能。

例　释

1. 我把办公室**翻了个底儿朝天**（fānle ge dǐr cháo tiān）也没找到那份文件

   比喻到处翻找东西。

   Ransack one's place for something.

(1) 奶奶说给我做饭吃，结果我把家里翻了一个底儿朝天也没找到可以吃的东西。

(2) 几个人把刘家翻了个底朝天，只找到几件破衣服和两本破书。

2. 要是丢了，合作的事就得**泡汤**（pào tāng）了

没有达到目标或不能实现计划。

Come to nothing; fail.

(1) 他们几家凑了一笔钱想要一起开个商店，可谁都没经验，不到三个月商店就关门了，做生意的计划就这样泡汤了。

(2) 他们千万不要再喝酒闹事，要是那样的话，我们所做的工作和努力就算泡汤了。

3. 我的**饭碗**（fànwǎn）也就**砸**（zá）了

砸饭碗　丢了工作。

Lose one's job.

(1) 工人们肚子里有气，可谁也不敢说什么，担心自己的饭碗砸了。

(2) 老张最近真倒霉，因为迟到三次，把饭碗砸了，看见他丢了工作，老婆要跟他离婚。

(3) 老板大声对我们说："谁要是不好好干活儿，我就砸谁的饭碗！"

4. 还老**打瞌睡**（dǎ kēshuì）

想睡觉或进入半睡觉的状态。

Doze off.

(1) 那几天我们看足球比赛总是看到后半夜，所以一到教室就开始打瞌睡。

(2) 每天老人们有的聊天儿，有的坐在太阳底下打瞌睡。

5. 要是让经理看见了，**有你好看的**（yǒu nǐ hǎokàn de）

会遇到麻烦或难堪，含有威胁或警告的语气。也说"有你好瞧的"。

It means "you will run into trouble". This sentence contains the speaker's warning. Also, "有你好瞧的".

(1) 高个子的男人恶狠狠地对两个孩子说："你们俩都得听我的，要不有你们好看的！"

(2) 哥哥说："这是妈妈最喜欢的花瓶，你竟然给摔了，等她回来，有你好瞧的。"

6. 家里来了几个**八竿子打不着**（bā gānzi dǎ bu zháo）的亲戚

比喻关系非常远或没有关系。

Have nothing to do with or be distantly related.

(1) 老王说："没钱的时候也没那么多亲戚，现在有了点钱，八竿子打不着的亲戚都找上门来了。"

(2) 听见她提到小丽，我有点儿不满，说："你别提小丽的事，我的事跟她的事八竿子也打不着，干吗把我跟她扯到一块儿去。"

7. 要是我被**炒**（chǎo）了**鱿鱼**（yóuyú）

开除某人，使某人失去工作。

Fire somebody; dismiss.

(1) 那个不愿陪老板喝酒的女孩在第二天就被炒了鱿鱼。

(2) 我们每天小心地工作，总担心出点儿差错被炒了鱿鱼。

(3) 因为我迟到半个小时，老板就炒了我的鱿鱼。

8. 我就**找**（zhǎo）他们**算账**（suàn zhàng）去

找……算账　出现坏的结果后去找某人争执较量。也说"跟（某人）算账"。

Punish somebody after something bad has happened; settle scores with somebody. Also,"跟（somebody）算账".

(1) 小王说："我把这件事就全交给你了，要是办不好，我可找你算账。"

(2) 老张低声对儿子说："这儿人多，我先不理你，等回家我再跟你算账。"然后就走了。

9. 经理为了那份合同急得**热锅上的蚂蚁**（rè guō shang de mǎyǐ）似的

形容人因着急，坐立不安的样子。

Be on pins and needles. It is used to describe one as anxious or frantic.

(1) 一直到晚饭后，儿子小林还没回来，国香急得像热锅上的蚂蚁，不停地往楼下看。

(2) 只剩下十分钟了，可还是看不见她的身影，小王急得就跟热锅上的蚂蚁似的。

10. 昨天不知道为什么冲王秘书又**发**（fā）了一通**脾气**（píqi）

发怒、生气。

Lose one's temper; get angry.

(1) 老王看见儿子又跟那几个人一起喝酒，非常生气，可儿子他又管不了，所以只好回家去跟老伴儿发脾气。

(2) 近几年他很少关心母亲的情况，有时心情不好，他还对母亲大发脾气。

11. 让王秘书特别**下不来台**（xià bu lái tái）

很尴尬、难堪。

Embarrassed.

(1) 他在朋友们面前又提起我被骗的事，这让我觉得很丢脸，下不来台。

(2) 你有时候太不注意方法了，你那样批评小刘，不是让他下不来台吗？

(3) 我想说，可又怕她会拒绝，使我下不了台。但最终我还是鼓起勇气，向她提出了请求。

12. 你可别**往枪口上撞**（wǎng qiāngkǒu shang zhuàng）

在某人情绪不好的时候去做惹他不高兴的事（当然会有不好的结果）。也说“撞在枪口上”。

If you cross someone who is in a bad mood, you will suffer the consequences. Also, “撞在枪口上”.

(1) 这事等过几天再说吧，你没看见爸爸这几天动不动就发脾气，我可不想往枪口上撞。

(2) 经理这几天正为儿子的事生气，听小张说要请假去旅行，一下子就火儿了，把小张狠狠地批评了一顿。看见小张不高兴的样子，老王笑着说：“我让你别去，你非要去，这可是你自己撞到枪口上的呀。”

13. 要找不到，我可怎么**向**（xiàng）经理**交代**（jiāodài）呀

向……交代　由于出现不好的结果而向某人加以说明。

Justify oneself; account for one's actions.

(1) 你最好给你妈妈写个条儿，证明是你自己非要退学，跟我没关系，要不我不好向你妈妈交代。

(2) 我得按规定办，这关系着全公司的利益，不能马虎，不然出了问题我也没法向公司领导、职工交代。

14. 这种事他说完就**忘到脑后头**（wàng dào nǎohòutou）了

完全忘了，忘得很干净。

Have completely forgotten.

(1) 别看他答应得好好的，可一出门就把自己说的话全忘到脑后头了。

(2) 小强跟小朋友们玩得特别高兴，早把妈妈让他做的事忘到了脑后头。

15. 我们早就**摸透了**（mōtòule）他的**脾气**（píqi）

摸透了（某人的）脾气 非常了解某人的脾气。

Understand somebody's temper or character.

(1) 他已经摸透了爱人的脾气，所以不管她怎么吵、怎么闹，他都一句话也不说，等她冷静下来再跟她解释。

(2) 一起生活了这么多年，她早摸透了老头儿的脾气，在这时候，她最好什么都顺着他。

16. 你看他每天忙得**脚底朝天**（jiǎodǐ cháo tiān）的

形容非常忙的样子，也说“手脚朝天、四脚朝天”等。

Very busy. Also,“手脚朝天”,“四脚朝天”.

(1) 大嫂的丈夫在城里工作，自己带着两个孩子过日子，里里外外，就她一个人，有时忙得手脚朝天，小马就经常去帮大嫂干活儿。

(2) 我们大家都忙得四脚朝天，你怎么能躺在这儿睡大觉呢？

17. 闹了半天他是在**放空炮**（fàngkōngpào）啊

比喻说空话，说了不做。

Indulge in empty talk (and not follow through).

(1) 你说请我吃饭都说过好几次了，可你一次也没真请过，总是放空炮，现在你说什么我也不信了。

(2) 他的主意听起来不错，可我们怎么能弄到那么多钱呢？他只不过是在放空炮。

18. 在工作上他向来**一是一，二是二**（yī shì yī, èr shì èr）

实事求是，很认真。

Be practical and realistic; be earnest.

(1) 我说：“老王，你介绍情况的时候，别什么都说，你要是说太多的问题，领导会不高兴的。”可老王说：“我这个人干什么都一是一，二是二，不会专挑好听的说。”

(2) 小王生气地说：“想不到你跑到厂长那儿去说我的坏话。”小张淡淡地说：“我只是一是一，二是二地汇报。”

19. 就是有时候**鸡蛋里挑骨头**（jīdàn li tiāo gǔtou）

比喻故意挑毛病，没有毛病也要找出毛病。

Look for a flaw where there is none.

(1) 学校领导都肯定了我们的做法，老师们也没有反对，你为什么非要鸡蛋里挑骨头呢?

(2) 你要是不让他们满意，那就麻烦了，就是再好的鸡蛋里他们也能挑出骨头来!

(3) 老厂长对我们说：“我们要把产品质量放在第一位，对质量我们要有‘鸡蛋里面挑骨头’的精神，这样才能在市场上站住脚。”

20. 他有点儿**一根筋**（yì gēn jīn）

比喻人思想固执，决定了就不容易改变。

Stubborn; rigid.

(1) 我笑着说：“人家说您执著，那是好听的，换句不好听的，那就是说您一根筋。”

(2) 老张是个典型的一根筋，他要是想干什么，谁也别想说服他，说多少话都是白费力。

21. 为了一个日期，好像要**跟**（gēn）我**没完**（méi wán）

跟……没完　要彻底追究某人的责任。

Nag without end; incessantly criticize.

(1) 他瞪起眼说道：“要是你不告诉我，耽误了我的大事，我跟你没完!”

(2) 老张一下子从椅子上跳了起来，说：“他们竟然敢骗我，我现在就找他们去，今天的事我跟他们没完!”

22. 让我的**脸**（liǎn）都**没地儿搁**（méi dìr gē）

意思是很丢脸。

Lose face.

(1) 你干出这种让别人看不起的事，我们全家人的脸都没地儿搁。

(2) 我才不去参加那个晚会呢，人家都是有地位的人，我就是个开车的，跟他们站一块儿，我这脸往哪儿搁呀。

23. 工作起来也挺**玩儿命**（wánr mìng）的

不顾一切地做某件事，命都不顾了。

Risk one's life at sth.; work very hard on sth.

(1) 他把自己关在房间里，除了吃饭睡觉就是写，差不多是玩儿命了，终于赶在年底以前写完了这本书。

(2) 看见借出去的钱要不回来了，老头儿急得要跟我玩儿命，我只好跟朋友借钱先还上他。

(3) 一看见那条黑狗，他们俩转身就玩儿命往家跑。

24. 常常是**刀子嘴豆腐心**（dāozizuǐ dòufuxīn）

比喻嘴像刀子一样厉害但心像豆腐一样软。

Severe in speech and soft in heart.

(1) 李老师说自己是刀子嘴豆腐心，批评学生还不是为了他们好。

(2) 别看她嘴上说不管那个孩子了，其实她是刀子嘴豆腐心，比谁管得都多。

25. 他**大小**（dàxiǎo）也是个经理，怎么能这样呢

毕竟。

After all.

(1) 这儿虽然比不上人家大饭店，但大小也是个饭馆啊，你在这儿至少不用为做饭发愁。

(2) 生了一会气，他自己先高兴起来，心想，自己大小也是个有文化的人，虽然没什么大出息，但总不至于跟那种人生气吧。

(3) 老太太说："儿媳妇人好，会过日子，对我们也很孝顺，不过，这么多年没给我们生个孙子，大小也是个缺点。"

26. 听他们说得倒是**有鼻子有眼**（yǒu bízi yǒu yǎn）的

比喻（虽然没有亲眼看见，可是）说得很有根据、很详细。

With every detail vividly described (although he has not seen or experienced).

(1) 我想他说的不会是假的，有时间，有地点，有鼻子有眼的。

(2) 就是她没亲眼看见的，让她一说，也有鼻子有眼的，跟真的一样。

27. 甭**管**（guǎn）人家的**闲事**（xiánshì）

关心或管跟自己没有关系的事。

Poke one's nose into other people's business.

(1) 老张特别爱管闲事，就连邻居两口子吵架他都要管，说来也怪，大家还都挺尊敬他。

(2) 听见隔壁老王又在骂孩子，爸爸想过去看看，可妈妈不让他去，让他少管点儿闲事。

28. 我们家现在都**乱了套**（luànle tào）了

混乱、没有秩序、没有计划。

Be in a muddle; turn things upside down.

(1) 大嫂走后，家里乱了套了，孩子没有人接送，老人也没有人照顾，这时我们才知道大嫂在我们家有多重要。

(2) 你这么对待那些工人，万一他们真的不来了，我们的生产计划就会整个乱了套，到时候看你怎么办。

(3) 一个家总得有个家的样子，爸爸就是爸爸，孩子就是孩子，要是爸爸不像爸爸，孩子不像孩子，那还不乱了套？

练　习

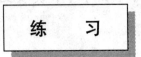

一、用线连接词语和相应的解释：

(1) 被开除	A 一根筋
(2) 忘得很干净	B 摸透某人的脾气
(3) 非常了解某人的性格	C 炒鱿鱼
(4) 很丢脸，不好意思	D 忘到脑后头
(5) 很固执，不轻易改变主意	E 脸没地儿搁

二、选用合适的词语填空：

乱套　发脾气　放空炮　找你算账　脚底朝天　下不来台

一是一，二是二　热锅上的蚂蚁　忘到脑后头　有鼻子有眼

(1) 眼看火车就要开了，可还看不见姐姐他们的影子，连爸爸都急得____________似的，一个劲儿地看手表。

(2) 我问她我的工作定下来没有。她说不了解这件事。我火了，大声问："你们厂长在哪儿？我要见他！"她淡淡地说："你见不着他，在国外访问呢！"我又问："那你们书记在哪儿？"她说："不能告诉你。"我瞪起眼道："你不告诉我，耽误了我的大事我____________！"

(3) 谁走都行，就是白玲不能走，她是班长，这儿的事全靠她安排呢，她要一走，我们这儿非____________不可。

(4) 他心里有气，你就让他说两句吧，何必跟他顶嘴呢？还当着外人的面儿，这不是让他____________吗？

(5) 自从李荣出主意，预备圣诞大减价，小马和李荣就开始点缀门面，定价码，印说明书……天天忙得________，可是他们不许老马动手。

(6) 我怕这里面有假，还仔细问了她半天，她说的时间、地点都对，连细节都说得________，我们就相信了她说的。

(7) 看见奶奶来了，宝庆一下子高兴起来了，把一天的忧愁都________了。

(8) 瑞文一句话也没说，他想，李师傅是有难处才来找他，他得给李师傅想个能解决问题的办法，光________有什么用？

(9) 你到了警察那儿，得管好自己的嘴巴，人家问什么，你就________地回答，要是瞎说，那可是犯法。

(10) 纪明正睡得香甜，被说笑声吵醒，气得不得了，来到客厅正想________，一眼看见了在书店遇到的那个姑娘，他惊奇得半天没说出话来。

三、用指定的词语完成句子：

(1) A：隔壁的大海怎么不上班，天天在家打麻将？
B：你还不知道吧，________。（砸饭碗）

(2) A：新来的技术员竟然说我的不合格，让我重新做，你看看我的怎么样？
B：________。（鸡蛋里面挑骨头）

(3) A：搬货这样的事还是让他们去干吧，________。（大小……）
B：经理干这个也不是什么丢面子的事啊。

(4) A：老板对我挺客气的，不像你们说的那么可怕。
B：你干得好那当然没的说，________。（有你好看的）

(5) A：昨天在路口我被罚了五块钱，说红灯的时候我的自行车过线了，真倒霉！
B：现在正抓交通安全呢，________。（往枪口上撞 /撞在枪口上）

第九课

为了孩子我们豁出去了

（孟师傅给孩子开家长会回来，在院门口遇到了邻居老张。）

老　张：回来了？小强这次考得怎么样？不用说，一定错不了。

孟师傅：别的科还行，就是英语**差点儿劲儿**。他们老师说现在是冲刺的时候了。说实话，竞争这么厉害，小强能不能考上，我这**心里**还真是**没底儿**。

老　张：小强是个**有头脑**的孩子，别看这孩子平时话不多，可干什么都**心里有数**，我敢说，小强考清华那是**板上钉钉**的事。

孟师傅：您快别这么说，能上个普通大学我们就**谢天谢地**了。哎，老张，您认识不认识教英语的老师？小强英语**底子薄**，有点儿**跟不上**了，所以我想给他请个家教。

老　张：你够**下本钱**的，请家教可不是**说着玩**的，好老师一节课就得上百呢。

孟师傅：只要孩子能学好，**砸锅卖铁**我也愿意。为了孩子我们**豁出去**了，没本事挣大钱，咱们就省着点，您看，我连烟都戒了。

老　张：**好你个**老孟！快三十年的烟龄了吧？一下子就戒了？**真有你的**！

孟师傅：我们两口子就**吃了**没文化的**亏**，这一辈子要什么没什么，吃苦受累不说，还净受气，说什么也不能让孩子**走**我们的**老路**。别看我们平时舍不得吃舍不得穿，可在孩子学习上花多少钱都不心疼。还好，小强学习没太让我们着急。

老　张：我儿子要有小强一半就行了。那小子可**不是**个**省油的灯**，上学那会儿考试常常**吃**大**鸭蛋**，还老给我到处惹事儿。哼，现在刚有了几个钱就跟我**没大没小**的，那天竟然管我叫"老张"，气得我给了他一巴掌，让他妈惯得不**像样儿**。

孟师傅：大军挺有本事的，虽然没上大学，可做生意有两下子呀，连汽车都有了。

老　张：嗨，破二手车，值不了几个钱。他那叫什么本事啊？**说得好听**点儿**是**做生意，**说得不好听就是**个"倒儿爷"，个体户，我都懒得提他。现在我们爷儿俩是谁看谁都不顺眼。还是你们**有眼光**，等以后儿子上了大学你们就好了。

孟师傅：能不能考上还难说呢，谁敢**打保票**呀？**走到哪儿算哪儿**吧，咱们做父母的不图别的，将来别**落埋怨**就行了。

老　张：哎，我想起来了，我的一个朋友的邻居给孩子请过英语家教，听说教得挺不错，后来那孩子考上了北大。

孟师傅：那您赶紧帮我问问，钱的事好说，时间地点什么的也都好说。您可千万别忘了。

老　张：你就一百个放心吧。

注　　释

1. 冲刺：跑步等体育比赛中临近终点时全力向前跑；在最后的关键时刻努力。(sprint)
2. 家教：这里指家庭教师。
3. 惹事儿：引起麻烦。
4. 二手车：用过以后再卖出去的车。
5. 倒儿爷：指从事倒买倒卖活动的人。(含贬义)

例 释

1. 别的科还行，就是英语**差点儿劲儿**（chà diǎnr jìnr）

不特别好，不是很好。

Not very good.

(1) 要说干事细致，还得说小张，别的人都差点儿劲儿。

(2) 这几本书挺有意思，那两本差点儿劲儿。

2. 我这**心里**（xīn li）还真是**没底儿**（méi dǐr）

没有把握，不能肯定。相反的意思可以说“心里有底”。

Feel unsure of or uncertain about something. The opposite is “心里有底”.

(1) 我也写了一个申请，但是领导能不能同意，我可是心里没底儿！

(2) 他也想试一试，可老刘他们会支持他吗？他心里没底儿。

(3) 我虽然没直接问过她，可我心里有底儿，她一定会站在我这一边的。

3. 小强是个**有头脑**（yǒu tóunǎo）的孩子

有自己的主意和想法、很聪明。

Have brains; smart.

(1) 郑老师是一个有头脑的人，他不会让自己的女儿去干那种傻事。

(2) 这些人认为，漂亮的姑娘都没有什么头脑，做不了大事。

(3) 别人让你干什么你就干什么，连想都不想，你有没有头脑啊？

4. 干什么都**心里有数**（xīn li yǒu shù）

心里知道、有把握。

Know fairly well; know what's up.

(1) 我想你们应该先去了解一下情况，看看到底是怎么回事，做到心中有数。

(2) 我对你怎么样，你应该自己肚子里有数，干吗听人家的？

(3) 到底去哪儿找，怎么找，我心里一直没数。

5. 小强考清华那是**板上钉钉**（bǎn shàng dìng dīng）的事

事情已经定下来，不可改变。

Fixed; that's final; unchangeable.

(1) 对我来说，毕业后回家乡已经是板上钉钉了，所以我不用着急在北京找工作。

(2) 家里的事只要父亲点头同意，那就是板上钉钉的事了，谁再说什么也没用了。

6. 能上个普通大学我们就**谢天谢地**（xiè tiān xiè dì）了

非常庆幸。

Thank one's lucky stars; feel very fortunate.

(1) 老张说："他学习不好倒不是什么大问题，只要他不给我们惹麻烦我们就谢天谢地了。"

(2) 小王看见我来了，说："谢天谢地，可把你等来了，我还以为你不来了呢。"

7. 小强英语**底子薄**（dǐzi báo）

基础不好。

Have a poor foundation.

(1) 这些学生虽然学习很刻苦，但年龄大，底子薄，做研究工作不合适。

(2) 我们厂刚建好，技术人员少，底子薄，还没有能力考虑这些问题。

8. 有点儿**跟不上**（gēn bu shàng）了

比别人慢、落后或不如别人。

Cannot catch up with; cannot keep pace with.

(1) 他走得很快，我走得慢，又穿着高跟鞋，所以我跟不上他。

(2) 他讲完几句，就停一会儿，怕我的记录速度跟不上，等等我。

(3) 当时的铁路发展远远跟不上国民经济发展的需要，所以他一毕业就去了铁路部门。

9. 你够**下本钱**（xià běnqián）的

为了某种目的舍得花钱或时间、精力等。

Spend much time, money or strength to achieve one's aim.

(1) 大家都说，小王为了学习英语，连那么好的工作都不要了，真舍得下本钱。

(2) 你不是要去面试吗？这身衣服可不行，要想通过面试，你就得下点本钱，先去买套名牌时装，再买套高级化妆品。

10. 请家教可不是**说着玩**（shuō zhe wán）的

开玩笑，不是真的。

Joking; not being serious.

(1) 她笑笑说："不结婚的话是我说着玩的，你还真生气了？我是非你不嫁呀。"

(2) 现在冰还不结实，可不能去滑冰，要是掉进去，那可不是说着玩的！

(3) 开饭馆的事我可没说着玩，要干就真干，而且要干好。

11. 只要孩子能学好，**砸锅卖铁**（zá guō mài tiě）我也愿意

比喻把自己所有的钱或东西都拿出来。

Put all one's money towards something; give away all one has (money).

(1) 小雨知道家里没有钱，不想去看病，可爸爸说，就是砸锅卖铁也要治好小雨的病。

(2) 老李说："那辆车是进口的，我可不敢修，万一弄坏了，砸锅卖铁我也赔不起呀！"

12. 为了孩子我们**豁出去**（huō chuqu）了

决心很大，不惜任何代价。

Go ahead regardless; be ready to risk everything.

(1) 我一直认为跟别人借钱是最丢脸的事，可现在实在是没有办法了，我只能豁出去了，什么脸面不脸面的，先给父亲看病是最要紧的。

(2) 小王是个球迷，一听说有足球比赛，就说："我豁出去明天不上班，也得看这场球。"

(3) 他们等了半天也不见有船过来，小张有点着急地说："老这么等也不行啊，我看咱们豁出去吧，自己游过去，你们看怎么样？"

13. **好你个**（hǎo nǐ ge）老孟

好你个……　说话人没想到对方那样，很吃惊。只在对话中用。

Little does the speaker expect. It is only used in dialogue.

(1) 姐姐有点不高兴地说："好你个志平！结婚这么大的事到今天你才告诉我。"

(2) 我看见老赵来了，就跟他开玩笑说："好你个老赵，搬新家了也不告诉我一声，是不是怕我去你家呀？"

(3) 奶奶说："好你个小强，骗钱竟然骗到我头上了！"

14. **真有你的**（zhēn yǒu nǐ de）

一种感叹句，表示说话人的赞赏、称赞或批评、埋怨等。

It is an exclamatory sentence. The speaker sighs with feelings, such as admiration, praise, or criticism.

(1) 你一个人抓住了两个小偷？真有你的！

(2) 放着工作不做，躲到家里睡大觉，真有你的！

(3) 真有你的！钱包丢了三天了自己还不知道。

15. 我们两口子就**吃了**（chīle）没文化**的亏**（de kuī）

吃了……的亏　因为A或在A方面吃亏，受损失。

Suffer losses in A; or, suffer losses because of A.

(1) 王老师说："她的文章内容很好，但是在语言上却吃了不够精练的亏。"

(2) 以前租房子的时候，他吃过中间人的亏，所以现在他不相信他们的话，他宁愿多跑点儿路自己去找。

(3) 大姐说："我让你小心一点儿，是怕你吃了那个男人的亏，没有别的意思。"

16. 说什么也不能让孩子**走**（zǒu）我们的**老路**（lǎolù）

重复以前或别人的做法。

Follow the beaten path.

(1) 你哥哥现在的样子你都看到了，你要是不想走他的老路，就得从现在开始努力学习。

(2) 以前搞平均主义，干好干坏一个样，现在我们可不能走过去的老路，那样是没有任何出路的。

17. 那小子可**不是**（bú shì）个**省油**（shěng yóu）的**灯**（dēng）

不是省油灯　比喻不容易对付、常招惹麻烦。含有贬义。

(Someone) is not easy to deal with, trouble some. It contains a derogatory connotation.

(1) 三班那几个男孩子，个个不是省油的灯，三天两头闹事，老师们一提起三班就头疼。

(2) 那个老张是市长的亲戚，他可不是个省油的灯，虽说只是个科长，可谁都不敢惹他。

18. 上学那会儿考试常常**吃**（chī）大**鸭蛋**（yādàn）

比喻考试得了零分。

Receive a zero (goose egg) in an exam.

(1) 他小时候特别不爱学习，每天就知道玩儿，考试的时候没少吃鸭蛋，因此也没少挨爸爸的打。

(2) 自从上次考数学吃过一回鸭蛋后，他就下决心一定要把数学学好。

19. 现在刚有了几个钱就跟我**没大没小**（méi dà méi xiǎo）的

对长辈不太尊重，没有礼貌。

Be impolite to one's elders.

(1) 张老师虽然只比你们大几岁，可他是你们的老师，你们得管他叫老师，别没大没小地叫他的名字。

(2) 大力跟他爸爸老是没大没小的，跟他爸爸说话就像跟他的同学说话似的，别人都看不惯，可他爸爸还挺高兴。

20. 让他妈惯得不**像样儿**（xiàngyàngr）

好看的或者应该有的样子。相反的意思说"不像样儿"。

Up to par; presentable. The opposite is "不像样儿".

(1) 快到老人的八十岁生日了，他们打算给老人办个像样儿的生日宴会。

(2) 老太太病到现在，已经瘦得不像样儿了。

(3) 你的字写得太不像样儿了，还不如小学生写得好。

21. **说得好听**（shuō de hǎotīng）点儿**是**（shì）做生意，**说得不好听就是**（shuō de bù hǎotīng jiù shi）个"倒儿爷"

说得好听是 A，说得不好听就是 B　说到某人或某事时，用好听的词说是 A，用不好听的词来说是 B。说话人想要表达的是 B。

A is a nice way of putting it, B is a more critical way of putting it. In fact, B is really implied.

(1) 谈到现在的一些女孩子，老张说："这些女孩子，说得好听是思想开放，说得不好听就是不知道什么是羞耻，你看看她们穿的衣服，越来越少。"

(2) 我哥哥他们两口子现在都在家待着呢，说得好听那叫下岗，说得不好听就是失业。

(3) 他从来都是有什么说什么，不管别人爱不爱听，说得好听他这是坦率、直爽，说得不好听就是有点儿傻。

22. 还是你们**有眼光**（yǒu yǎnguāng）

观察、判断事物很有能力。

Have foresight, farsighted.

(1) 当初你们选择教师这个工作真是有眼光，现在教师的地位越来越高，工资也越来越高。

(2) 我妈妈特别有眼光，她给我买的衣服总是又便宜又好看，我就不行。

(3) 以前不少女孩子找男朋友只找本地的，现在有点儿眼光的女孩子都找外地的，她们认为这些外地的年轻人更努力，更肯干，对感情更专一。

23. 谁敢**打保票**（dǎ bǎopiào）呀

预料某事一定会发生，有绝对的把握。

Vouch for something; guarantee.

(1) 明天他肯定会去找你的，我可以打保票。

(2) 我们的产品，质量是一流的，价格也是最低的，这我可以很负责地向您打保票。

(3) 明天的事谁知道会怎么样，我可不敢打保票。

24. **走到哪儿算哪儿**（zǒu dào nǎr suàn nǎr）吧

根据事情的发展，到时候再做决定，现在不去想。

Proceed without a plan; improvise.

(1) 情况变化太快了，原来的计划全都不管用了，我看现在也不必做什么计划了，谁知道还会发生什么事，咱们走到哪儿算哪儿吧。

(2) 在去她家的路上，我心里很不安，不知道会有什么结果，小王看我那样子，笑着说："别胡思乱想了，走到哪儿算哪儿，她要同意一切都好办，要不同意咱们再想办法。"

25. 将来别**落埋怨**（lào mányuàn）就行了

受到别人的责备、埋怨。

Be blamed.

(1) 你要是愿意去，那你就去吧，不过，你记住，这是你自己的决定，是好是坏都跟我没关系，我不想落埋怨。

(2) 他说我们影响了他的工作，你看，我们好心好意地帮他，反倒落埋怨，这不是让人生气吗？

练　习

一、选用合适的词语填空：

打保票　　好你个　　说着玩　　落埋怨　　真有你的

心里没底　　砸锅卖铁　　没大没小

(1) 王老师拿起大木尺，笑着说："谁不听话，我就拿这木尺子打！"小刚以为王老师这就要开始打，嘴唇都吓白了，直往爸爸身后躲。王老师一看，赶紧说："别怕，孩子，老师这是＿＿＿＿＿＿呢。"

(2) 快走到门口，门后忽然"咚"地一声，吓了他一大跳。一看，原来是妹妹小香在门后埋伏着呢，这会儿小香早笑得直不起腰来。"＿＿＿＿＿＿小香，你敢吓唬我，看我怎么收拾你！"大虎假装生气地说。

(3) 那位代表又说："在这样的厂里，拿的差不多是世界上最低的工资，造出的差不多是世界上一流的步枪，这个厂的工人们都很可敬啊！"张化的心头一热："对对。您说的对极了！我们厂的工人，个个都是好工人！绝非一半儿素质好，一半儿素质不好。这一点我可以很负责地向您＿＿＿＿＿＿！"

(4) 回到家，爸爸就批评他，说："不管怎么说，小张是我的同事，你得叫他'叔叔'，不叫倒也没什么关系，可你怎么＿＿＿＿＿＿地管人家叫'哥们儿'？太不像话了！"

(5) 小林告诉我，能帮忙的也先说不能帮忙，好办也先说不好办，不帮忙不好办最后帮忙办成了，人家才感激你。你一开始就满口答应，如果中间出了岔子没办成，本来答应人家，最后，没办成，出了力也会＿＿＿＿＿＿。

(6) 李老三见了爱社不好意思得很，说得吞吞吐吐。爱社十分热情，十分大方，说，远亲不如近邻，干脆说吧，您想借多少？李老三说，真是说不出口，太多了，要能借就借个五百元。爱社哈哈大笑，什么叫能借不能借，不就是两个二百五嘛，我就是＿＿＿＿＿＿也要给你凑齐。

(7) 那几个人都好说，只要请他们吃顿饭，就什么事都解决了，可老张头能不能帮他的忙，他可＿＿＿＿＿＿，老张头的坏脾气他领教过。

(8) 大民，________________，外面闹成那个样子，你还能在这儿睡得着觉，你怎么不去劝劝哪？

二、完成下面的对话：

(1) A：咱们工作这么多年，能力也不算低，可还不如那些年轻人挣钱多，这心里真不平衡。

B：人家英语好，随便进一个外企一个月就能挣好几千块，你行吗？________________。（吃了……的亏）

(2) A：听说票很不好买，有的人排了一夜队才买上。

B：________________。（豁出去）

(3) A：那些年轻画家的作品倒挺有特点，不过有的我看了半天都闹不明白画的是什么。

B：________________。（说得好听是……，说得不好听是……）

(4) A：我已经报名参加电脑培训班了，不学不行啊。

B：是啊，现在是信息社会，________________。（跟不上）

(5) 妈妈：孩子实在不愿意学就算了，他没兴趣，你这么硬逼着他也不好啊。

爸爸：现在不学以后能干什么！________________。（走A的老路）

(6) A：你就忍下这口气吧，哪儿都有不公平的事，你要是辞职，能找到更好的工作吗？

B：________________。（走到哪儿算哪儿）

(7) 医生：你母亲现在脱离危险了，再住院观察几天，没问题就可以出院回家了。

爸爸：________________。（谢天谢地）

(8) A：我们小时候，老师说什么是什么，现在的孩子可真不一样，小小年纪就有自己的看法，还什么都不怕。

B：可不，________________。（不是省油灯）

第十课

这事儿八成儿得黄

（中午休息的时候老张和老孙在办公室聊天）

老张：听说你父亲又住院了，现在不要紧了吧？

老孙：这两天基本稳定了，我们总算是**松了一口气**，上岁数的人**说**病**就**病，住上院就放心了。这些日子白天在单位忙得**团团转**，恨不得多长两双手，晚上还得赶到医院陪床，天天这么**连轴转**，累得我都快散了架了。

老张：你还头疼吗？注意点儿身体，什么事都**悠着点儿**。

老孙：我这头疼是**家常便饭**了。唉，年轻那会儿**开**几天**夜车玩儿似的**，现在呢，怎么也**歇不过劲儿来**。这些我不敢跟老人说，怕他担心。

老张：大伙儿都说你父亲有福气，有你这么个孝顺儿子。

老孙：人总得讲点儿良心，老人**一把屎一把尿**地把我们拉扯大不容易，不孝敬老人那可**说不过去**。说实话，咱们也得给儿子做个榜样啊，上梁不正下梁歪嘛。

老张：是啊。要我说，孝敬老人不在天天山珍海味，老人最怕的是孤单。

老孙：是啊，可我们家，上学的上学，上班的上班，谁也抽不出多少时间来。我找人给我父亲介绍个老伴儿，那个大妈人还挺好，可刚见过两回面儿，我爸爸就病了。昨天我爱人去那个大妈家，想听听人家的想法，结果**吃**了个**闭门羹**，我估计，这事儿八成得黄。你想，谁愿意找个病老头儿啊。

老张：别着急，等你父亲病好了再说。哎，医院还不错吧？

老孙：医生、护士都挺和气的，就是饭菜不**对**老人的**胃口**。所以每天我爱人在家做好，然后我往医院送，还好，儿子大了，可以给他妈妈**打下手**了。

老张：我真羡慕你啊，有个好儿子，又有个贤内助。你看我，孩子还小，我是**又当爹又当妈**，连个帮手也没有，真叫苦啊。

老孙：**还说呢**，上次给你介绍的那个，人家**对**你还真**有**点儿**意思**呢，你怎么跟人家见了两面就**打退堂鼓**了？

老张：我想来想去，主要是怕我儿子受苦。

老孙：这个理由可**站不住脚**。后妈多了，也没听说个个都坏。

老张：跟你说心里话，人家是大学老师，我呢，一个**半路出家**的小<u>编辑</u>，人家能看上我？我别自**找没趣**了。

老孙：你老这么想，就不怕自己**打一辈子光棍儿**？

老张：唉，等孩子大点儿再说吧。

注　释

1. 陪床：病人的家属留在医院照顾住院的病人。
2. 良心：内心（对事情）的正确的认识。
3. 上梁不正下梁歪：俗话，比喻上面的人（如父母）行为不正，下面的人（如子女）也跟着学坏。
4. 山珍海味：指山野和海洋中的各种珍贵的食品。
5. 八成：很可能，大概。
6. 编辑（biānji）：editor。

例　释

1. 我们总算是**松了一口气**（sōngle yì kǒu qì）

放心、放松。

Relax a little or loosen up.

（1）开始我们都很担心他的病，听了医生的话，我们才松了一口气。

（2）听了李老师的话，我松了口气，因为我一直担心儿子经常参加比赛会影响他的学习。

2. 上岁数的人**说**（shuō）病**就**（jiù）病

说 + 动词 + 就 + 动词 说到某事马上就做某事。

Do something as soon as one mentions it.

(1) 你既然想去看电影，行啊，没问题，咱们说去就去。

(2) 他真是个急脾气，说走就走了，连个招呼也不打。

(3) 小女孩儿特别可爱，就是有一样让我头疼，那就是爱哭，说哭就哭。

3. 这些日子白天在单位忙得**团团转**（tuántuánzhuàn）

形容非常忙或着急的样子。

Run round in circles; pace about in an agitated state of mind.

(1) 急诊室里人来人往，医生护士个个忙得团团转，根本没时间管我们。

(2) 家里人为了这个婚礼，上上下下都忙得团团转，只有婚礼的主人公，我大哥，好像这些都跟他没关系，一个人躲在屋子里看书。

(3) 客人们明天就要到了，可住的地方还没有安排好，急得老张团团转。

4. 天天这么**连轴转**（liánzhóuzhuàn）

白天晚上不停，连着做某事。

Do something day and night.

(1) 机器运来以后，这几个技术员白天晚上连轴转，不到三天就把机器修好了。

(2) 老张白天跟那些朋友一起喝酒、侃大山，晚上回来又开始翻译稿子，老这么连轴转，真不知道他哪儿来的那么大的精神。

5. 什么事都**悠着点儿**（yōuzhe diǎnr）

（做某事）不要过度。

Take things a little easier.

(1) 你岁数不小了，不能跟年轻人比，干什么都得悠着点儿，要是累倒了就麻烦了。

(2) 小白笑着说："悠着点儿喝，顺子，你一口气都喝光了，一会他们来了喝什么呀？"

(3) 这个月咱们的钱得悠着点儿花了，别像上月似的没到十五号钱包就空了。

6. 我这头疼是**家常便饭**（jiācháng biànfàn）了

指很普通、很经常、不特别的事。

Common occurrence; usual practice.

(1) 丈夫是搞地质的，出差是家常便饭，总是背包一背就走了，所以她从来不送。

(2) 在过去，女人被丈夫打骂是家常便饭，就是因为女人在经济上不独立，要靠着丈夫。

7. 年轻那会儿**开**（kāi）几天**夜车**（yèchē）玩儿似的

夜里不睡觉做某事。

Burn the midnight oil; pull an all-nighter.

(1) 我们班大部分同学都喜欢在考试前开夜车，考完以后大睡三天。

(2) 他动作慢，又特别认真，所以常常开夜车，闹得白天老打瞌睡。

8. 年轻那会儿开几天夜车**玩儿似的**（wánr shìde）

像玩儿一样轻松、容易。

Do something easily like playing a game.

(1) 学校里学的内容对我来说非常简单，尤其是数学，我学起来跟玩儿似的。

(2) 大壮从小就力气大，一百多斤重的袋子，一只手提起就走，玩儿似的。

9. 怎么也**歇不过劲儿来**（xiē bu guò jìnr lai）

休息以后还是不能恢复，也说"歇不过来"。相反的意思说"歇过劲儿来"或"歇过来"。

Even after a rest one is still exhausted. Also, "歇不过来". The opposite is "歇过劲儿来" or "歇过来".

(1) 昨天在外面跑了一天，累得我连饭都不想吃了，到现在我也没歇过劲儿来，所以今天不想再出去了。

(2) 虽然很累，可他们睡了一觉就歇过劲儿来了。

10. 老人**一把屎一把尿**（yì bǎ shǐ yì bǎ niào）地把我们拉扯大不容易

比喻（父母）养育儿女非常辛苦。

(Parents) undergo hardship and sacrifice to raise their child.

(1) 他三岁的时候父母就病死了，是奶奶一把屎一把尿把他拉扯大的。

(2) 她是你妈妈，从小一把屎一把尿地把你养大，你怎么能这样对她呢？

11. 不孝敬老人那可**说不过去**（shuō bu guòqù）

不应该、不合情理。

Unjustifiable.

(1) 我已经有八年没去看望他了，等写完这本书以后，一定去看看他，要不就太说不过去了。

(2) 我们是从小一起长大的朋友，现在正是他需要朋友安慰和鼓励的时候，我不去怎么说得过去呢？

12. 结果**吃**（chī）了个**闭门羹**（bìméngēng）

比喻被拒绝进门，不受欢迎。

Be denied entrance from someone's home.

(1) 昨天我亲自去他家请他，没想到吃了个闭门羹，真让人生气。

(2) 你就是再讨厌他，烦他，人家毕竟是客人，你也不能给人家吃闭门羹呀。

(3) 姐姐说："你要是不喜欢他，下次他再来，我就给他个闭门羹吃，怎么样？"

13. 就是饭菜不**对**（duì）老人的**胃口**（wèikǒu）

某事物适合某人的兴趣。也说"合胃口"。

(Something) to one's liking. Also, "合胃口".

(1) 虽然她人长得不漂亮，也不太聪明，可做的菜对老太太的胃口，所以老太太喜欢她。

(2) 她说："我给她介绍过几个男朋友，个个都不错，可就是不对她的胃口。"

(3) 这些建议都很好，可不知道为什么不对他们的胃口，一条也没被采用。

14. 可以给他妈妈**打下手**（dǎ xiàshǒu）了

做不重要的辅助性的工作。

Act as assistant or helper.

(1) 你做菜真不错，以后可以开个饭馆了，到时候我给你打下手，怎么样？

(2) 听说让他当副经理，他心里很不高兴，心想，自己是从美国回来的留学生，在这里竟然给人家打下手，真是笑话。

15. 我是**又当爹又当妈**（yòu dāng diē yòu dāng mā）

一个人又当爸爸又当妈妈抚养孩子。

Be a single parent; raise a child on one's own.

(1) 妻子去世后，他又当爹又当妈，牺牲了自己的全部爱好和业余生活，学会了做饭洗衣服等女人干的活。

(2) 大姐很要强，与丈夫离婚后，一个人又当爹又当妈，把三个儿子培养成了大学生。

16. **还说呢**（hái shuō ne）

在对话中用，表示说话人对对方所说的事有不满、生气的意思。

It is used in conversation and means do not talk about that.

(1) 我问小顺："爸爸没带你们去北海吗？"

"还说呢！"红梅答了话："爸爸是要带我们去，可奶奶不让，小顺都哭了半天了。"

(2) 小红看见我，问："哎，你怎么不穿那条裙子了？"

我没好气地说："还说呢，就因为那条裙子，我妈说我说到半夜，非说裙子太短，不让我穿。"

17. 人家**对**（duì）你还真**有**（yǒu）点儿**意思**（yìsi）呢

对（某人）有意思　喜欢或爱上某人。

Like somebody or fall in love with somebody.

(1) 一个朋友问我："小刘是不是对你有点意思啊？我看他老往你家跑，还老给你送花。"

(2) 我笑着对她说："我猜，你一定是对他有意思，要不干吗老跟我打听他的情况呢？"

18. 你怎么跟人家见了两面就**打退堂鼓**（dǎ tuìtánggǔ）了

比喻遇到困难或不顺利就中途退缩。

Beat a retreat; back out.

(1) 会场气味很难闻，秩序很乱，什么人都有，文博士真不愿意给这些人做什么报告，可又不能临时打退堂鼓，只好在台上坐了下来。

(2) 来到车站，大家一片惊叹，公共汽车站排队等车的人排成了长龙，妈妈又是第一个打退堂鼓：我的妈呀，这么多人，什么时候才能轮到咱们上车？算了，别去了。

19. 这个理由可**站不住脚**（zhàn bu zhù jiǎo）

理由、说法、观点等不能成立。

Untenable.

(1) 他们认为当时汽车没有达到一定的速度。但是据专家分析，这种说法根本就站不住脚，因为汽车把墙撞开了个大洞，这就说明汽车当时的速度很快。

(2) 王老师说："因为天气不好，所以你就没来上课，这么说可站不住脚。"

20. 一个**半路出家**（bànlù chūjiā）的小编辑

中途改换工作。

Switch to a job one was not trained for.

(1) 人家是专门的演员，从小练基本功，演起来一点儿不吃力。可小王是半路出家，所以费了不少劲儿。

(2) 他原来是个老师，所以对他来说，在公司做管理工作是半路出家，得一边干一边学。

21. 我别自**找没趣**（zhǎo méiqù）了

也说"讨没趣"，指自己让自己难堪，没有面子。

Ask to be snubbed. Also,"讨没趣".

(1) 她说："他正为儿子的事生气呢，要是现在去找他，只能自讨没趣。"

(2) 我说完之后发现小王的脸色很不好，明白自己说得太直接了，我在心里直骂自己自找没趣。

22. 就不怕自己**打**（dǎ）一辈子**光棍儿**（guānggùnr）

成年人过单身生活。

Stay single; remain a bachelor.

(1) 妈妈为儿子的婚事没少着急，要是儿子打光棍儿，她就觉得对不起死去的丈夫。

(2) 那时候家乡太穷，没有姑娘愿意嫁过来，本地的姑娘全嫁得远远的，所以，打光棍儿的人不少。

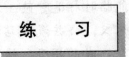

练　　习

一、体会解释下面加线的词语：

(1) 潘进见陈松现在红起来了，很想让他帮忙解决儿子的工作问题，甭管怎么说，陈松能有今天离不开他的推荐，他打算挑个日子，准备些好酒好菜，请陈松来吃饭，可是今天早上看见陈松，他刚一开口就被陈松拒绝了，讨了一个没趣，气得他在心里骂了半天。

(2) 要是去远处，你那点儿钱可就差远了，来回路费都不够。我看你找个近郊玩玩得了，不过，就是在近郊玩儿你也得悠着点儿，别住什么高级的地方。

(3) 你假设的这个前提就是不真实、不可能的，所以你从这个前提得出的任何一个结论都是站不住脚的。

二、选用合适的词语填空：

连轴转　　团团转　　打下手　　歇过劲儿　　打退堂鼓　　家常便饭
说不过去　　松了一口气　　一把屎一把尿

(1) 要是在报名以前你说不参加还行，可现在什么都准备好了，人家也都安排好了，你怎么突然________了？这不是让人家为难吗？

(2) 村长让本村里最干净最利落的几个女人当厨师，又派来几个年轻人来给她们________，那些天全村上下都喜气洋洋的。

(3) 我们当警察的，经常跟各种各样的犯罪分子打交道，牺牲都是难免的，受伤就更是________了，可我们从来没后悔过。

(4) 小吕说："我小，可我也是个男子汉啊，这么黑，这么冷，让两个姑娘去送信儿，这无论如何也________啊，我路熟，胆子大，让我去吧。"

(5) 天都黑了，可爸爸他们还没回来，妈妈急得眼泪都快下来了，爷爷低头抽烟，一句话也不说，这时，外面传来爸爸说话的声音，全家人这才________。

(6) 为了回家过年，工人们三天三夜________，终于赶在春节前完了工，拖着疲惫的身体回家去了。

(7) 大哥跟学海打在一起，从屋里打到屋外，我在一旁急得________，跳着脚想帮大哥一把，可怎么也插不上去。

(8) 汪老汉指着儿子的鼻子骂道："我们________把你养大容易吗？你的翅膀刚硬一点儿，我们的话你就不听了？"

（9）爬到半山腰，导游看大伙儿实在是不行了，就建议说，先不着急往上爬，坐下歇一歇，等__________再走。

三、完成下面的对话：

（1）A：这小伙子是干什么的？看样子挺有劲儿的。
B：__________。（玩儿似的）

（2）A：他们俩是不是又闹别扭了？要不，你过去劝劝吧。
B：不用，__________。（说A就A）

（3）A：你们好像都不愿意跟他在一起，为什么呀？
B：他的脾气太不好了，__________。（说A就A）

（4）妈妈：奶奶给你的那件上衣是她亲手做的，怎么不见你穿了？
女儿：__________。（还说呢）

（5）A：昨天晚上你的脚不是还好好儿的吗？怎么突然崴了？
B：__________。（还说呢）
A：这么说来，这事全怪我。

（6）A：我发现你来这儿以后有点儿瘦了，是不是在减肥啊？你可真用不着减肥。
B：__________。（对胃口）

（7）A：老张当了经理，架子也大了，上回我去他家，我明明看见他进了家，可他老婆竟然说他不在家。
B：不瞒你说，__________。（吃闭门羹）

（8）A：小张，那个萍萍老来找你，__________。（对A有意思）
B：别开玩笑了，我们是中学同学，再说，人家孩子都三岁了。

第十一课

谁都猜不出他葫芦里卖的什么药

（小周来到退休的李师傅家）

李师傅：小周，你可是稀客，来，这儿有瓜子、有橘子，随便吃。我给你倒杯茶。

小　周：您别忙了。李师傅，您的新家真漂亮啊，呵，连家具都换了。

李师傅：以前那些家具都**老掉牙**了，所以一搬家就让我儿子**一股脑儿**全处理了。开始我们还有点舍不得，后来也想开了，旧的不去新的不来，该扔就得扔，留着也没什么用。再说，雪白的新房子摆上些旧家具看着也确实**不大对劲儿**。

小　周：这个客厅真宽敞，得有三十多平方米吧？这下儿来十个八个客人都坐得下了。

李师傅：可不，以前我们祖孙三代住一间房子，吃饭睡觉就那么一间。现在客厅是客厅，卧室是卧室，这在以前连想也不敢想啊。哎，小周，你头一回来，没**走冤枉路**吧？

小　周：还好，不过，这儿的楼看上去都一个模样，要是不知道门牌号，还真不好找。对了，李师傅，厂长让我来问问您能不能这几天抽空儿回厂一趟。

李师傅：没问题。哎，这个新来的厂长跟以前那些不是**一路货**吧？真盼着他别跟刘副厂长他们**坐一条板凳**，要那样咱们厂就**没救儿**了。

小　周：都说“新官上任三把火”，可这个新厂长来了以后，一次大会都没开，就是找这个谈话找那个谈话，大伙儿谁都猜不出他**葫芦里卖的什么药**。

李师傅：但愿这次上级没**看走眼**，派个有水平、有能力的厂长来。前几个厂长把咱们厂可害苦了，别的厂是越来越发展，咱们倒好，就差关门了。

小　周：听说刘副厂长他们请新厂长去卡拉 OK 却**碰了一鼻子灰**，那帮爱**拍马屁**的好像也**吃不开**了，新厂长不**吃那一套**。

李师傅：太好了。那些家伙太可恨，工人都快**揭不开锅**了，可他们整天**大鱼大肉**地吃，拿厂子的钱不当钱，天天不是什么 OK 就是什么海鲜，这群**败家子**！

小　周：是啊，大伙儿看在眼里，可谁都不敢**说半个不字**。二车间的张之明给他们提意见，他们就找茬儿让他下岗了，这不就是**杀鸡给猴看**吗？

李师傅：我就不信他们能老这样，这帮人是兔子的尾巴，长不了，别看他们现在笑得欢，早晚有他们哭的一天，**走着瞧**吧。

小　周：据说新厂长学历挺高，可我觉得，这学历和能力不能**画等号**啊。他到底能不能收拾咱们厂这个**烂摊子**，现在还真是**看不出什么眉目**来。

李师傅：要是有个好厂长，工人们也就**有盼头儿**了。

注　释

1. 稀客：不常来的客人。
2. 旧的不去新的不来：意思是破的或旧的东西扔掉以后可以买新的东西。
3. 宽敞：宽大，大。
4. 新官上任三把火：俗话，意思是新官刚一上任常常先做几件引人注目的事以显示自己的能力。
5. 但愿：只希望。表示说话人的愿望。
6. 找茬（chá）儿：故意找毛病。
7. 下岗：这里指失去工作。
8. 兔子的尾巴，长不了：歇后语，比喻不会长久。

例　释

1. 以前那些家具都**老掉牙**（lǎodiàoyá）了

因时间长久而破旧，也指因时间久远而落后、不流行。

Very old; out of date; obsolete.

(1) 屋子里的家具又古老又笨重，不论怎么擦洗都是黑乎乎的，可就这些老掉牙的东西妈妈也一件都舍不得扔，因为这全是她跟爸爸结婚的时候爸爸亲手做的。

(2) 小丽说："又是你那老掉牙的爱情故事，你讲了快有八百遍了，我不想听。"

(3) 这些图都是他用那台老掉牙的486（电脑）做出来的，整整花了他一个星期的时间。

2. 让我儿子**一股脑儿**（yìgǔnǎor）全处理了

全部，都。

Completely; all.

(1) 他忍不住把这些想法一股脑儿全告诉了她。她眨着眼睛听着，觉得又新鲜又有趣。

(2) 她带了几个人把屋子里的东西一股脑儿全搬走了，连双筷子也没留。

3. 雪白的新房子摆上些旧家具看着也确实**不**（bú）大**对劲儿**（duìjìnr）

不合适、不正常或不舒服。

Not right; abnormal.

(1) 我看见小王跟她的朋友又说又笑，和以前没什么两样，看不出她有什么不对劲儿的地方。

(2) 她的这封信我越看越不对劲儿，我不记得什么时候我给她买过毛衣啊，她怎么说谢谢我送的毛衣呢？

4. 你头一回来，没**走冤枉路**（zǒu yuānwanglù）吧

因走错而绕远多走路。

Take a roundabout route, or detour.

(1) 我不善于认路。有时到一个朋友家去，或者是朋友自己带了我去，或者是跟别人一起去，第二次我一个人去，常常找不着。不过也好办，手里有地址，顶多是多问问人，走一些冤枉路，最后总还是会找到的。

(2) 你去以前好好看看地图，省得走冤枉路。

(3) 那个地方我以前从来没去过，问路又听不懂人家的地方话，所以走了不少冤枉路。

5. 这个新来的厂长跟以前那些不是**一路货**（yīlùhuò）吧

同一种人，也说"一路货色"，含有贬义。

The same mould. Also，"一路货色". It contains a derogatory connotation.

(1) 宝山不愿意跟他们家人来往，他早就知道，对桂珠来说，钱比友情更重要，她的爸爸唐四爷也是一路货。

(2) 我以为老张能说句公道话，没想到，他跟那些人是一路货，都是只想着往上爬，根本不替我们工人说话。

6. 真盼着他别跟刘副厂长他们**坐一条板凳**（zuò yì tiáo bǎndèng）

立场、观点一样，含有贬义。

Of the same mind. It is used in a derogatory sense.

(1) 你刚才还说同意我的观点，怎么一眨眼就跟他们坐在同一条板凳上了？你这个人到底是站在哪一边的？

(2) 老李他们可不是什么好人，净干缺德事，你千万别跟他们坐在一条板凳上。

7. 要那样咱们厂就**没救儿**（méi jiùr）了

来不及抢救、挽救或补救。相反的意思说"有救"。

Cannot be saved. The opposite is "有救".

(1) 等到大伙儿七手八脚地把那个孩子从河里捞上来，那个孩子早就没救儿了。

(2) 离比赛结束只有五分钟了，比分是3:0，现在青年队用什么方法也没救儿了。

(3) 李爷爷把手指放在那个年轻人的鼻子底下试了试，说："还有救儿！快端碗酒来。"

8. 大伙儿谁都猜不出他**葫芦里卖的什么药**（húlu li mài de shénme yào）

（某人）有什么想法或打算、想要干什么。

What has someone got up his sleeve? What are his intentions?

(1) 小王进来后，站在那儿不说话，眼睛看着自己的脚。她看见他半天不开口，笑了，说："你今天葫芦里卖的什么药，怎么不说话？"

(2) 王主任什么也没说，只是从包里拿出一本破书，放在桌子上。大伙儿你看看我，我看看你，都不知他葫芦里到底卖的什么药。

9. 但愿这次上级没**看走眼**（kàn zǒuyǎn）

看错了，判断错了。

See wrong; misjudge.

(1) 别看他是个专家，可也有看走眼的时候，上回花了很多钱，买回来一张假画，气得他三天没吃好饭。

(2) 奶奶笑着说："小强还是个孩子，干不了什么大事。"清莲说："那您可是看走了眼了，小强可是不简单哪，别的不说，您先看看这封感谢信吧。"

(3) 你们可得仔细着点儿，要是看走了眼，让姓刘的跑了，咱们都没好日子过。

10. 听说刘副厂长他们请新厂长去卡拉 OK 却**碰了一鼻子灰**（pèngle yì bízi huī）被拒绝。

Be snubbed or rejected; meet with a rebuff.

(1) 他听说那个饭馆正缺人，就去试了试。在家呆了半年多，他真想有个工作，钱多钱少都没关系；没想到一去就碰了一鼻子灰，因为老板说他年纪太大。

(2) 看到姐夫把他放在桌子上的钱扔到了地上，他的脸白一阵红一阵。他的确是一片热诚地来给姐夫送钱，为的是博得姐夫的欢心，谁知道结果会是碰了一鼻子的灰。

11. 那帮爱**拍马屁**（pāi mǎpì）的好像也吃不开了

为了达到某种目的奉承别人。

Lick somebody's boots; flatter.

(1) 听到他夸我的儿子聪明，我心里知道，他是在拍我的马屁，就因为我是经理的秘书。

(2) 厂长的老婆开了个饭馆卖早点，金桥就改成天天去那儿吃早点了。同事们在背后议论说，金桥真会拍厂长的马屁。

(3) 老刘说："小张别的不行，可人家会拍马屁，上回院长写的那几个破字，他竟然拿回家挂起来了。"

12. 那帮爱拍马屁的好像也**吃不开**（chī bu kāi）了

某种做法或某种人不受欢迎，不被接受。相反的意思说"吃得开"。

Be unpopular; won't work. The opposite is "吃得开".

(1) 时代变了，人们的思想也变了，没人愿意听您的大道理，您那一套在过去还行，现在可吃不开了。

(2) 轮到她上场，她唱了个黄色小调。但听众的爱国激情正高，不管她怎样打情骂俏，黄色小调还是吃不开，听众对她很冷淡。

(3) 骗子们的手段并不十分高明，而居然能一帆风顺，到处吃得开，可以看出受骗的人头脑有多简单。

13. 新厂长不**吃那一套**（chī nà yí tào）

吃这/那一套 喜欢或接受某种做法。

Like or embrace the current way of doing things.

(1) 他最喜欢听别人夸他的字写得好，你去了以后就夸他的字，他一高兴你的问题就能解决了，你放心按我说的去做，他就吃这一套。

(2) 来人从包里拿出两块进口手表，放在桌子上，老王一下子就明白了他的意思，站起来说："把你的东西拿走，你这么做在别人那儿也许有用，可我不吃你这一套！"

(3) 我跟她说了一大堆好话，又送给她好多女孩子喜欢的小玩意儿，可她就是不吃我这一套，说什么也不肯替我去送这封信。

14. 工人都快**揭不开锅**（jiē bu kāi guō）了

很穷，连吃饭的钱都没有了。

Go hungry; have nothing to eat; cannot afford to buy food.

(1) 老王对那孩子说："有什么事就跟我说，怎么可以黑天半夜砸人家公家的汽车？你向来是个老实的孩子，是不是家里又揭不开锅了？我这儿有二十块钱，你先拿去。"

(2) 就我所知，村子里的人家都不是很富裕，但并没有穷得揭不开锅的。

15. 可他们整天**大鱼大肉**（dà yú dà ròu）地吃

指各种好吃的东西（主要指肉类）。

Delicious food mainly meat.

(1) 现在人们有钱了，生活水平提高了，也开始注意起科学饮食，大鱼大肉都不爱吃了，所以各种蔬菜卖得特别好。

(2) 妈妈总是劝爸爸说："你的血压高，不能再大鱼大肉地吃了，多吃点儿青菜、豆腐。"

16. 这群**败家子**（bàijiāzǐ）

挥霍钱财的人，含有贬义。

Spendthrift; wastrel. It is used in a derogatory sense.

(1) 母亲像守护纪念品一样守护那些久远年代的破烂儿，所以她总是趁母亲不在家时，把家里的多年不用的旧东西扔掉。要是母亲看见她扔东西，又得说她是败家子。

(2) 他知道，变卖祖先留下的产业会被人看成是不肖子孙，他将在这十里八村的村民中落下败家子的可耻名声。

17. 可谁都不敢**说半个不字**（shuō bàn ge bù zì）

表示反对。

Object to; oppose.

(1) 他是老板，他说行就行，他说不行就不行，我们这些打工的谁敢说半个不字？

(2) 那个男人拿着枪威胁说："我让你干什么你就干什么，要是敢说半个不字，我就打断你的腿。"

18. 这不就是**杀鸡给猴儿看**（shā jī gěi hóur kàn）吗？

比喻借惩罚A来警告、威胁B。

Kill the chicken to frighten the monkey: punish someone as a warning to others; make an example of somebody.

(1) 我知道他们的用意，他们说是要开除杨波，其实是做给我看的，他们演了一出杀鸡给猴看的戏。

(2) 他一来就扣了我们俩的奖金，理由是上班迟到十分钟，他这是在杀鸡给猴看，让大家小心点儿，别不把他放在眼里。

19. **走着瞧**（zǒuzheqiáo）吧

等着看以后。含有威胁的意思，预见某种结果会发生。

Wait and see. It has threatening connotations or is used as a prediction.

(1) 小顺子打不过他们几个，就一边往家跑，一边回头叫："你们别高兴得太早了，走着瞧，明天我把我哥哥找来。"

(2) 他很看不起眼前这个张局长，自己是一个大学生，凭什么让这么个什么都不懂的家伙指挥来指挥去，走着瞧吧，有朝一日得把现在的位置颠倒过来。

(3) 孟　辉：甭说了，你们既然不愿意跟我合作，就别怪我不客气。

王大力：你敢怎么不客气呢？我告诉你，你要是去勾结那几个坏蛋干坏事，我就真去告发你！

孟　辉：咱们走着瞧！

20. 可我觉得，这学历**和**（hé）能力不能**画等号**（huà děnghào）啊

(A和B) 画等号 指A和B相等或A等于B。

A is equal to B.

(1) 过去很多中国人把富裕、有钱和罪恶画上等号，想改变贫困又不敢提发财致富，最后只好消灭贫和富的差别，要穷大家一块儿穷，大家一起过那种艰苦的生活。

(2) 愚昧和落后常常是可以画等号的，甚至可以说，它们是一对孪生子。

21. 他到底能不能收拾咱们厂这个**烂摊子**（làntānzi）

比喻难以收拾、整顿的局面。

An awful mess; no way of resolving something.

(1) 产品全压在仓库里卖不出去，工人们懒懒散散，技术人员走得差不多了。面对这样一个烂摊子，他简直不知道该从哪儿下手。

(2) 当时公司还欠着银行几百万，他就把这么个烂摊子留给了他的下任。

22. 现在还真是**看**（kàn）**不出**（bù chū）什么**眉目**（méimu）来

看不出头绪，看不出是怎么回事。相反的意思说“看出眉目”。

Cannot follow how an affair is unraveling or see how something is developing. The opposite is “看出眉目”.

(1) 几个人凑到一起研究那张图，可看了半天，还是看不出什么眉目，不知道那几个符号到底表示什么意思。

(2) 时间长了，朋友们慢慢地看出了点儿眉目，所以都有意给他们俩提供单独相处的机会，大家都觉得他们俩在一块儿挺合适。

23. 要是有个好厂长，工人们也就**有盼头儿**（yǒu pàntour）了

有（事情向好的方向发展的）希望。

Have good prospects.

(1) 女人们都安慰刘嫂说：“孩子们再过两年就大了，能帮上你的忙，你就有盼头儿了。”

(2) 连续三年大旱，别说庄稼了，就连人喝水都困难，老人们一到一起就摇头叹气，都说这日子没有一点儿盼头儿。

练　习

一、选用合适的词语填空：

没救儿　有盼头儿　一股脑儿　不对劲儿　败家子　烂摊子　大鱼大肉

吃不开　葫芦里卖的什么药　碰了一鼻子灰　老掉牙

（1）过去医学不发达，人要是得上肺炎，那肯定＿＿＿＿＿＿＿＿了，可现在这种病根本算不了什么。

（2）家宝听说姐夫当上了经理，就想让姐夫在他的公司给自己安排个轻松的工作，可刚一开口就＿＿＿＿＿＿＿＿，姐夫说公司的人事安排不归他管。

（3）别看老刘天天这么＿＿＿＿＿＿＿＿地吃，他还是那么又干又瘦，老像没吃过饱饭似的。

（4）我对她说："您这回可＿＿＿＿＿＿＿＿了，张老师说连市长都知道您的事儿了，说一定要想办法解决您的困难。"

（5）现在就是在农村剃光头的也少了，福大爷的手艺有点儿＿＿＿＿＿＿＿＿了，有时他想，看来这手艺也别往下传了。

（6）一些小的电视台没钱买新的，只好翻来覆去地放那几个＿＿＿＿＿＿＿＿的电影。

（7）老秦看见儿子花了不少钱，买回来个不能吃不能用的玩意儿，对儿子很不满，心里骂儿子是个＿＿＿＿＿＿＿＿，可没敢骂出来。

（8）老张说："咱们公司眼看着就要倒闭了，这么个＿＿＿＿＿＿＿＿谁能收拾得了啊？"

（9）他一句话也不说，把桌子上的东西都挪开，从包里拿出几双鞋摆在桌上，大家都看愣了，不知道老王＿＿＿＿＿＿＿＿，屋子里一下子安静下来。

（10）我从医院回到家，把衣服从里到外全换了，然后把换下来的衣服＿＿＿＿＿＿＿＿全放进了洗衣机里，哗啦哗啦地洗起来。

（11）走到门口，他觉出脚上穿的鞋有点儿＿＿＿＿＿＿＿＿，低头一看才发现两只鞋一样一只。

二、用指定的词语完成对话：

（1）A：你怎么现在才到？晚了半个多小时了！

B：＿＿＿＿＿＿＿＿。（走冤枉路）

（2）A：要是王经理不同意，你就去找老马说说，我觉得老马这个人还不错。

B：我看说也是白说，________________。（一路货）

（3）A：你明明知道这个计划有问题，李主任说的时候你们怎么都不提出来啊？

B：________________。（说半个不字）

（4）妈妈：你看见他以后别直来直去地忙着说事，先找他爱听的说几句，他一高兴没准儿事情就办成了。

爸爸：你的意思是________________？这我可不会，还是你去吧。（拍马屁）

（5）乘客：你说错了，他不是南方人，他是韩国人，来北京学汉语。

司机：哎哟，对不起，________________。（看走眼）

（6）A：别说是你一个，你这样的再来三个我也不怕！

B：________________。（走着瞧）

（7）妹妹：爸爸要是不同意我去，我就哭。

姐姐：不行，________________。（吃这/那一套）

（8）A：这张画到底是什么意思？这只眼睛代表的是什么？

B：________________。（看出眉目）

（9）A：你说，那么有学问的人怎么会做出这种不道德的事呢？

B：________________。（画等号）

（10）妻子：我最看不起你的那些朋友，整天就知道吃喝玩乐，没有什么出息！

丈夫：我跟他们可不一样，________________。（画等号）

第十二课

你现在是鸟枪换炮了

（铁军在路上遇到老同学强子）

铁军：强子！是你？

强子：铁军！没想到咱们在这儿碰上了。哟，你可有点儿发福了，在单位干得不错吧？

铁军：别提了，公司这两年一直**半死不活**的，没准儿哪天就得关门，哪儿比得了你们大公司呀！哎，你这家伙最近忙什么呢？老找不着你，我结婚你都没来，太**不够意思**了，要不是**看在**老同学的**面子上**，我非给你两拳不可。

强子：嗨，我出差去了，一去就一个多月，这不，前天刚回来，要不**说什么也**得去呀。不过喜酒给我留着，等你抱儿子了再一块儿喝。对了，给你一张名片，上面有我的手机号，以后有事好联系。

铁军：嚯，**鸟枪换炮**了，快让我开开眼，嗯，样式还真不错。你**一天到晚**在外面跑，有个手机，嫂子就好遥控你了。

强子：哪儿啊，我是误事误怕了。我们办公室就一部电话，好几回人家打电话找我，我不在，把事都给耽误了，所以一**咬牙**就买了。有个手机就是方便，你也买一个吧。

铁军：我不像你似的天天**东跑西颠儿**，买那玩意儿没用。你有手机，以后找你就方便了。

强子：不过，可别跟我**煲电话粥**，要不每月的话费得**够我一呛**。

铁军：还真是，要是话费太多，回家该**挨**嫂子**白眼儿**了。哎，听说你每个月的工资都原封不动地上交，我们都夸你是个“模范丈夫”呢。

强子：夸我？直接说我是“**气管炎**”得了，你们哪，净拿我开心。不过，你先别笑我，**保不齐**以后你跟我一样。哎，听说马朋两口子离婚了，到底因为什么呀？

铁军：谁知道啊。说实话，马朋那牛**脾气**要是**犯**起来，真让人受不了。不过，他们家那位**半边天**也够厉害的。这俩人是**针尖儿对麦芒儿**，嚷嚷着要离婚可**有日子**了，大伙儿都以为他们就是说说而已，没想到这次是**动真格的**了。

强子：两口子能有什么大不了的矛盾啊，**说开**了不就没事了吗？你应该好好劝劝他。

铁军：你**说得轻巧**，你还不了解他？他是不撞南墙不回头。再说，清官难断家务事，咱去了说什么呀？

强子：那倒也是。马朋那个人哪儿都好，就是脾气太……

铁军：哎，别说他了，我听说你们公司跟咱们母校的合作搞得挺火的，好好干，别**给**咱母校脸上**抹黑**。

强子：**我是谁呀！**你就放心吧。以后有什么要帮忙的，**一句话的事**。

铁军：有你这句话就行，哪天我下岗了，我就上你那儿给你跑**跑龙套**，怎么样？

注 释

1. 发福：称（中年）人发胖。
2. 原封不动：意思是保持原来的样子，一点儿不改变。
3. 嚷嚷（rāngrang）：吵闹，大声叫或说。
4. 不撞南墙不回头：俗话，比喻很固执，不遇到失败不改变做法。（含有贬义）
5. 清官难断家务事：俗话，指家里的事很复杂，外人没有办法判断对错。

6. 母校：本人曾经从那里毕业或学习过的学校。

例　释

1. 公司这两年一直**半死不活**（bàn sǐ bù huó）的

比喻没有精神、没有生气的样子。

Listless; have no vitality.

(1) 刚在医院住了两天，爷爷就非要出院不可，他说，看着其他病人那半死不活的样子，心里不舒服。

(2) 这个饭店半年之内换了三个经理，有本事的厨师也都走了，饭店生意半死不活的，顾客越来越少，眼看就要关门了。

2. 我结婚你都没来，太**不够意思**（bú gòu yìsi）了

不应该、不好。

Unhelpful; ungrateful; not a true friend.

(1) 我是他的朋友，现在他最需要朋友的帮助，我要是不帮他一把，就太不够意思了。

(2) 老王不满地说："你也太不够意思了，我们都快干完了你才来。"

(3) 我们七嘴八舌地说："小路，真不够意思，找着个好工作也不请客。"

3. 要不是**看在**（kàn zài）老同学的**面子上**（miànzi shang）

看在（某人）的面子上　因为某种特别的关系而给某人好处或照顾。

Give preferential treatment (to someone); shows favor (for someone).

(1) 他对我说："我知道这件事我弟弟做得不对，可是看在咱们同学多年的面子上，你就原谅他吧。"

(2) "到底是怎么回事？就请你看在将要死去的人的面上，告诉我实话。"院长恳求他。

(3) 他不想去，可是看在女儿的面子上，他还是去了，他不想让女儿为难。

4. 要不**说什么也**（shuō shénme yě）得去呀

不管怎么样。

No matter what or how.

(1) 这时大郎已下定决心，说什么也得从本来就够紧张的开支中挤出7万元钱来。

(2) 二奶奶说什么也想不通，怎么女孩子也能去当警察呢？

(3) 我咬紧牙关，这时候说什么也得保持镇静，那些人都看着我呢。

5. **鸟枪换炮**（niǎoqiāng huàn pào）了

用新的替换了旧的，用先进的替代了落后的。

Fowling pieces have been replaced by guns: replace an old or under-developed thing with something newer or more advanced.

(1) 这几年公司发展很快，所以我们办公室也鸟枪换炮，买了两台最先进的电脑。原来的旧电脑就以很便宜的价钱卖了。

(2) 大刘当了经理以后，是鸟枪换炮了，把骑了好几年的自行车扔了，自己买了辆小汽车开上，别提多神气了。

6. 你**一天到晚**（yì tiān dào wǎn）在外面跑

每天从早到晚。

From morning to evening; all day long.

(1) 柳霞一天到晚没有空闲的时候，人变得又黑又瘦，眼角出现了一条条细密的皱纹。

(2) 她一天到晚无事可做，就盼着有人来跟她聊聊天。

(3) 穆女士一天到晚不用提多么忙了，又加上长得有点胖，简直忙得喘不过气来。

7. 所以一**咬牙**（yǎo yá）就买了

下决心（去做自己不愿意做或害怕做的事）。

Make up one's mind; resolve oneself to do something.

(1) 参加比赛的人一个一个地走上舞台，我前面的那个人快唱完了，我紧张得腿直发抖，真不想参加了，可这时主持人念到了我的名字，不唱是不可能的了，没办法，我一咬牙就走上了舞台。

(2) 站在游泳池旁边，她不敢往下跳，周围的同学都跳下去了，只剩下她一个人，同学们一起鼓掌，给她加油，她闭上眼，一咬牙跳了下去。

8. 我不像你似的天天**东跑西颠儿**（dōng pǎo xī diānr）

到处跑。

Scurry or rush about everywhere.

(1) 在大伙儿的帮助下，第二天，他就东跑西颠儿地送起了报纸和信。

(2) 他们是搞推销的，每天东跑西颠儿，北京的大小街道、胡同他们都特别熟。

(3) 他不愿意坐办公室，倒愿意像以前似的东跑西颠儿，这让他爱人很不理解。

9. 可别跟我**煲电话粥**（bāo diànhuàzhōu）

比喻打电话时间很长。

Make a long phone call.

(1) 小妹一回家就开始煲电话粥，弄得家里的电话费直线上升，我朋友给我打电话老打不进来，所以我跟爸爸说以后要给电话安上一把锁。

(2) 这些女人不用去上班以后，开始的时候每天在家不是看电视就是煲电话粥，时间一长就觉得这样的生活没有意思了。

10. 要不每月的话费得**够**（gòu）我**一呛**（yí qiàng）

够（某人）一呛 让某人受不了。

Make somebody unable to bear something.

(1) 一到春节，家里就来很多亲戚，光做这么多人的饭就够妈妈一呛，哪儿还有时间陪客人们聊天呀。

(2) 丈夫去世以后，家里三个不懂事的孩子，再加上个有病的老婆婆，就全靠她一个人了，这日子可真够她一呛。

11. 回家该**挨**（ái）嫂子**白眼儿**（báiyǎnr）了

被埋怨、被指责或被看不起。

Be treated with disdain or censure.

(1) 干我们这个工作得特别细心，干不好就会挨顾客的白眼儿，甚至丢了饭碗。

(2) 因为穷，她都不敢回娘家，怕挨嫂子的白眼儿，也怕听一些难听的话。

(3) 小时候，他挨惯了后妈的白眼儿，不过这倒不妨碍他长成了个五大三粗的小伙子。

12. 直接说我是**"气管炎**（qìguǎnyán）**"** 得了

"妻管严"的谐音，开玩笑或幽默地指丈夫怕妻子。

It is similar to "妻管严" in pronunciation. It is a joking way of saying that the husband is henpecked.

(1) 我们都知道老刘是个"气管炎"，所以出去喝酒的时候从不拉他去。

(2) 说到请客，他很为难，他既怕别人笑话他是个"气管炎"，又怕惹妻子生气自己日子不好过。

13. **保不齐**（bǎo bu qí）以后你跟我一样

可能，没准儿，不能保证。

More likely than not.

(1) 老爷爷说："谁也保不齐明天会发生什么事。过一天算一天吧！"

(2) 你要这么对他说，保不齐他会把你骂出来。

(3) 他的话你也信？他十句话里也就有一两句是真的，有时候保不齐一句真话都没有。

14. 马朋那牛**脾气**（píqi）要是**犯**（fàn）起来

犯脾气 发脾气。

Lose one's temper; flare up.

(1) 别看孩子们敢跟他打打闹闹，可他要是真犯起脾气来，谁也不敢吭声了。

(2) 妈妈对我说："在家里什么都好说，可到了外面，要是动不动就跟人家犯脾气，你非吃亏不可。"

15. 他们家那位**半边天**（bànbiāntiān）也够厉害的

指（中国新社会的）妇女。

Half the sky: women of the new (equalitarian) society.

(1) 他开玩笑说："每个成功的男人的背后都有个能干的半边天，不信，你们就看看咱们经理吧。"

(2) 老厂长这么一说，半边天们不干了，都说老厂长老脑筋，看不起妇女。

16. 这俩人是**针尖儿对麦芒儿**（zhēnjiānr duì màimángr）

比喻针锋相对，不示弱。

A pin against an awn: tit for tat; do not give the impression of being weak.

(1) 就因为这句话，姐妹两个人针尖儿对麦芒儿地争起来，谁也不让谁，弄得朋友们不知道该劝谁，也不知道说什么好。

(2) 他们有时候为一点儿小事就针尖儿对麦芒儿地吵，吵到最后的结果是爸爸过来把他们俩骂一顿，他们俩就都不出声了。

17. 嚷嚷着要离婚可**有日子**（yǒu rìzi）了

很长时间。

For quite a few days; for a long time.

(1) 李奶奶来到门口儿说："老姐姐，咱们有日子没见了，快进来坐坐。"

(2) 马师傅的胃疼已经有日子了，可他一直没放在心上。

18. 没想到这次是**动真格的**（dòng zhēngéde）了

认真、严肃地对待并有所行动。

Treat seriously and take action.

(1) 在大学里他也谈过几次恋爱，可都是没动真格的，所以吹了也就吹了，没让他多难过。

(2) 以前姐姐也说过好几次要辞职，可也就是说说罢了，这次看来她是要动真格的了。

19. **说开**（shuō kāi）了不就没事了吗

把心里的话或该说的话都说出来、说明白。

Speak out; bring up what is on one's mind.

(1) 老张劝我说："你们俩应该找时间好好谈谈，心里怎么想的都说出来，甭管有多大的问题，说开了就不是问题了，不说明白解决不了问题"。

(2) 马威瞪着眼说："怎么不该提房子的事呀？这事在我肚子里憋了好长时间了，今天咱们得说开了，非说不可！"

20. 你**说得轻巧**（shuō de qīngqiao）

说得容易，实际做起来很难。

It is easy to say (but difficult to put into practice).

(1) 看见姐姐着急的样子，我说："不就是一只花瓶吗？碎了就碎了，能有什么事？再买一个不就行了？"姐姐白了我一眼："你说得轻巧，这可不是一只普通的瓶子。"

(2)"不就欠他们钱么？还给他们不就完了！"李姐说："你说得轻巧！一万多块呢！我上哪儿找那么多钱啊？"

21. 别**给**（gěi）咱母校脸上**抹黑**（mǒ hēi）

给（某人）抹黑　使难看，使丢脸。

Bring shame on someone; blacken somebody's name.

(1) 队长的意思是，小张这种人素质太差，留下来只会给咱们警察队伍抹黑，不如趁早把他送回去。

(2) 我爷爷一直认为我爸爸离婚就是给他脸上抹黑，所以他坚决反对，并声称，要是我爸爸非要离婚，那他就没这么个儿子了。

22. **我是谁呀**（wǒ shì shéi ya）！你就放心吧

意思是“我不是一般人”，含有自己夸自己的意思。

It means I am not a common man, and it connotes that the speaker praises himself.

(1) 大伙儿都有点替小马担心，可小马拍拍胸脯说：“我是谁呀，在球场上摸爬滚打了十多年了，输给个新手？笑话！”

(2) 李大山一边往后退，一边说：“我是谁呀！你敢把我怎么样？”

23. 以后有什么要帮忙的，**一句话的事**（yí jù huà de shì）

（某人因为有权力或有某种特殊条件所以）只要说一句话就能解决问题。

Someone can solve the problem by speaking a single sentence (because he has power or a special position).

(1) 以前厂子招工,要谁不要谁,都是厂长一句话的事,现在可要凭真本事了。

(2) 不就是要个合格证吗？你就放心好了,我一句话的事,明天就给你办好。

(3) 我叔叔是那个公司的经理，我要想进那个公司，那还不是一句话的事？

24. 我就上你那儿给你跑**跑龙套**（pǎo lóngtào）

在别人手下做一些不重要的事。

Play an insignificant role.

(1) 像我们这个年龄的，都没有什么学历，到哪儿都是给别人跑龙套，我们也不指望别的，只求能平平安安就行了。

(2) 他心里很是不服气，他一个大学生，竟然给个小学都没念完的人跑龙套，真是笑话。

(3) 老张说：“跑龙套也很重要啊，虽然说我是经理，可没有你们的帮助，我一个人什么也干不成啊！”

练　习

一、理解下面加线的词语：

(1) 我在她家的门口儿停了一下儿，努力把心里的紧张压下去，<u>今天说什么也</u>得把这朵花亲手交给她。

(2) 给他送礼的人特别多，因为你的棉花是一级还是二级，都是<u>他一句话的事</u>，这一级和二级每斤差着四块钱呢。

（3）吴双又上楼来叫我，我装睡不理他，听见他在门外说：“惠珠，你起来吧，我作个自我批评成不成？我们是太不够意思了，这几天把你一个人扔在家里。”

（4）王大发说：“老四，休息够了吧？出去找点儿事干！”老四说：“今天我等两个朋友。”王大发想了想说：“老四，咱们可把话说开了，从今以后，你不能老赖在家里白吃饭。”

二、选用合适的词语填空：

半边天　有日子　保不齐　跑龙套　东跑西颠儿　鸟枪换炮　一天到晚
半死不活　不够意思　煲电话粥

（1）大姐见我们来了，特别高兴，说：“咱们＿＿＿＿＿＿＿＿没见了，今天别着急走，在我这儿吃晚饭，咱们好好聊聊。”

（2）他不想去麻烦二哥，二哥虽然在办公室，可只是个＿＿＿＿＿＿＿＿的，帮不了他的忙。

（3）李平当上厂长以后，＿＿＿＿＿＿＿＿忙得连去看父母的时间也没有了，觉得很对不起两位老人。

（4）现在就连清洁工人也都＿＿＿＿＿＿＿＿了，扔了大笤帚，开上了一种新型的清扫车。

（5）这个厂这么多年都没有什么发展，就这么＿＿＿＿＿＿＿＿地支撑着，工人吃不饱也饿不死。

（6）王科长说：“女同志力气是没咱们大，可要说照顾病人、照顾孩子，人家＿＿＿＿＿＿＿＿就是比咱们耐心，这咱们不能不承认，是吧？”

（7）晚上没事的时候，我喜欢抱着电话跟朋友＿＿＿＿＿＿＿＿，所以一到晚上电话就打不进来，气得大哥和大姐每人买了一个手机。

（8）看门的大爷说：“这个院子有两个门，我今天一直在这儿没离开，＿＿＿＿＿＿＿＿那个小偷是从后边的门跑的。”

（9）他的工作是送货，骑着辆自行车天天＿＿＿＿＿＿＿＿，这跟他的性格倒挺适合的。

（10）韩建国说：“咱们同学一场，这点儿忙你都不帮，太＿＿＿＿＿＿＿＿了！”

三、用指定词语完成对话：

(1) A：你要是实在没有时间做家务，就请个保姆来帮帮你。

B：______________。（说得轻巧）

(2) A：我去过他家，真的很困难，______________。（看在A的面上）

B：我不是不想帮他，可找工作不是容易的事，不能着急。

(3) A：那个孩子从小就没人管，野得很，哪个班都不愿意要他，听说最后去了郑老师的班。

B：______________。（够A一呛）

(4) A：听老王说，昨天他过马路没走人行横道，被警察罚了。

B：哟，______________，其实早该如此。（动真格的）

(5) 儿子：明天我们去参加北京市的比赛，我是后卫。

爸爸：好好踢，______________。（给A抹黑）

(6) 妈妈：你爬得上去吗？那棵树挺高的，算了算了，那风筝咱们不要了。

儿子：______________。（我是谁呀）

(7) A：从那么高的地方往下跳？我可不敢。哎，你怎么跳的？

B：______________。（咬牙）

(8) 妻子：这条裤子有点儿瘦，明天你路过商场帮我换一条。

丈夫：还是你去吧，______________。（挨A的白眼）

(9) A：你们老高整天笑嘻嘻的，看样子脾气不错。

B：哪儿啊，______________。（犯脾气）

(10) A：小张，今天晚上一块儿去老王家打麻将吧！

B：你别叫他，______________。（气管炎）

第十三课

拿到票我这一块石头才算落了地

（朱明遇到好朋友卫国）

朱明：卫国，你不是说要去王老师家吗？这么快就回来了？

卫国：什么呀！我还没去呢。真倒霉，刚骑到前边十字路口一个人就把我撞倒了，车也撞坏了，没法儿骑了。

朱明：坐车挺顺的，谁让你偏要骑车去。这会儿正是人多车多的时候，你一说要骑车去我就替你**捏着一把汗**，还好，人没伤着就算万幸。

卫国：那个人真不像话，撞了人连句话都不说，**一溜烟儿**就骑跑了。旁边**看热闹**的挺多，可谁也不上来帮帮我，真气人。

朱明：**别跟**那些人**一般见识**。现在很多人不愿意管闲事，都怕管出麻烦来。上回一个老太太摔倒了，我好心送她回家，没想到人家都说是我撞倒了老太太，把我气得**一愣一愣的**。

卫国：唉，我现在倒不生气了，就是这心里**不是滋味**。看来，明天的音乐会还是坐车去好。

朱明：你搞到票了？够**有路子**的呀！

卫国：哪儿有路子呀，全凭我这**三寸不烂之舌**。我跟我女朋友**夸下了海口**，说没有我弄不到的票。你不知道，我跟卖票的**套**了半天**近乎**，他才卖给我两张。现在，拿到票我这**一块石头**才算**落了地**，要不然在女朋友面前这**脸上**可真**挂不住**。

朱明：你越说我越**摸不着头脑**了，你女朋友？是哪个？我怎么不知道？

卫国：就是李文竹，新来的研究生。

朱明：怪不得那群女生一来你就跟她们**打成一片**，原来你是有目的的。老兄，我还真佩服你，你干别的都是个**半瓶子醋**，可跟女生打交道还真**有两下子**。不过，追紧点儿，别又像以前似的被人家甩了。哎，我怎么没看出来李文竹喜欢你呀，不是你一厢情愿吧？要是那样的话，你趁早别这么献殷勤，到最后闹个竹篮打水一场空。

卫国：你老给我**泼冷水**。

朱明：哎，前一段我还看见你跟王老师的女儿**打得火热**的，小心，不要**脚踩两条船**哟！

卫国：你怎么把我想得那么坏？我跟王老师的女儿只是一般的朋友。告诉你，我准备明年考研究生，参考书都买好了。你想，人家是研究生，我至少也得是个研究生吧。

朱明：那好啊,不过我不信,你这个人我最了解,干什么都是**雷声大雨点儿小**。

卫国：这回我可是认真的，我要让你们看看我是不是那种光会**耍嘴皮子**的人。

朱明：噢，看来爱情的力量真够大的呀！

注　释

1. 万幸：非常幸运（没有遭受很大的损失）。
2. 老兄：男性朋友之间的称呼。
3. 甩：这里指谈恋爱的男女一方不喜欢并离开另一方。

例　释

1. 你一说要骑车去我就替你**捏着一把汗**（niēzhe yì bǎ hàn）

比喻很担心、害怕、紧张。

Be breathless with anxiety or nervousness.

(1) 那个大胡子慢慢爬上去，我们全都替他捏着一把汗，怕他站不稳，摔下山去。

(2) 王应山走上舞台开始唱了，由于紧张，他的声音有点儿抖，我们很怕他忘了歌词，都替他捏着一把汗。

2. **一溜烟儿**（yíliùyānr）就骑跑了

形容跑得很快的样子。

(Run) very swiftly.

(1) 她斜着眼看了马威一下，说了声“再见，”然后一溜烟儿似的跑了。

(2) 她想出去，可是一抬头看见爸爸就站在门口，吓得马上改了主意，像个小耗子似的，一溜烟儿钻进了自己的卧室。

(3) 一辆小轿车一溜烟儿飞驰到单身宿舍大楼，从车里出来个中年男人。

3. 旁边**看热闹**（kàn rènao）的挺多

指在旁边袖手旁观。

Merely watch the commotion; be a looker-on.

(1) 她们一边干活一边大声叫骂，阿桂以为她们接下去就要打在一起了，于是停下来想看热闹，谁知她们只是互相骂，并不动手。

(2) 院子里除了客人以外，还有很多小孩子也站着看热闹。

4. 别**跟**（gēn）那些人**一般见识**（yìbān jiànshi）

跟（某人）一般见识　指跟水平低、没知识的人计较或争执。

Lower oneself to the same level as somebody.

(1) 秋云是个中学老师，每天在学校里教孩子们说外国话，而宝月只是个家庭妇女，所以不管宝月怎么闹，秋云也不会与宝月一般见识的。

(2) 老刘一个劲儿地说：“对不起，对不起，我们这位同志喝多了，所以胡说八道，平时可不这样，各位别跟他一般见识，回去我们好好教育他。”

(3) 表哥不以为然地说：“你一个男子汉，干吗跟个女人一般见识？她骂你你不理她不就行了？”

5. 把我气得**一愣一愣的**（yílèng yílèng de）

比喻因吃惊或生气而说不出话的样子。

Dumbfounded; speechless in anger, astonishment, because of an unexpected question.

(1) 马超第一个冲过了终点，第二名离他有五十多米远，这个成绩把别的队吓得一愣一愣的，马超自己也没想到。

(2) 他才十九岁，可对果树懂得特别多。有一次林业学校的学生来参观，由他给他们讲解，讲得那些学生一愣一愣的，不停地拿笔记本子记。

6. 就是这心里**不是滋味**（bú shì zīwèi）

心里难过、不舒服。

Feel bad; have a bad feeling.

(1) 几年不见，她老了很多，头发都花白了，看得出来她日子过得很艰难，这让我感到心里很不是滋味。

(2) 大伙儿看见他们两人哭成了一团儿，心里也都不是滋味，可又不知道说什么好。

7. 够**有路子**（yǒu lùzi）的呀

有达到个人目的的办法或途径。也说“有门路”。

Have connections. Also, “有门路”.

(1) 那时候，要想买到彩电、冰箱这样的家用电器，光有钱不行，还得有路子才能买到。

(2) 伟业在农村呆了四年，由于没有路子回上海，就在当地结了婚，现在人家是一家饭馆的经理。

(3) 刘护士悄悄地问我有没有路子帮她换换工作，说当护士太辛苦，挣钱也少。

8. 全凭我这**三寸不烂之舌**（sān cùn bú làn zhī shé）

比喻能说会道。

Have a silver tongue; persuasive.

(1) 宝庆的本事全在他那张嘴上，大家都说，他那三寸不烂之舌能把死人说活了，十个人也不是他的对手。

(2) 朱先生听了以后，对两个人说：“我只会写点儿文章，别的事我不懂，又没有三寸不烂之舌，哪能当主席呀！你们还是另请高明吧。”说完就转身走了。

9. 我跟我女朋友**夸**（kuā）下了**海口**（hǎikǒu）

说大话，吹牛。

Talk big; boast.

(1) 小王心里很喜欢杨如，就想请老唐帮忙介绍一下儿，因为老唐的爱人就和杨如在一起工作。老唐向小王夸下海口，说：“这事一点问题也没有，你就等好消息吧！”可是小王等了好几天也没等到老唐的回话。

(2)“我要在十年之内走遍全国，尝遍各地风味。”李非野心勃勃地夸下海口。

10. 我跟卖票的**套**（tào）了半天**近乎**（jìnhu）。

拉拢某人使关系亲近。

Try to be close or friendly with somebody.

(1) 我家旁边有个农贸市场，我常到那儿去买水果，那儿的人都认识我了，有人想和我套近乎，看见我的头发白了不少，就说，老师傅，您有五十了罢？我听了后哭笑不得。

(2) 宝庆陪着笑脸请司机抽烟，跟他套近乎，然后塞给他一笔可观的钱，要他把一家人捎到温泉去，司机痛痛快快地答应了。

11. 拿到票我这**一块石头**（yí kuài shítou）才算**落了地**（luòle dì）

比喻原来很担心，现在放心了。

Feel as if a load has been lifted from one's mind.

(1) 小林看妻子不说话，知道她基本答应了，这时心里一块石头才算落了地。

(2) 看见他们一家正安安静静地吃早饭，白队长顿时一块石头落了地，如果真有什么事，他们肯定不会如此平静地吃早饭。

12. 要不然在女朋友面前这**脸上**（liǎn shang）可真**挂不住**（guà bu zhù）

觉得很难堪、很尴尬或丢面子。也说“面子上挂不住”。

Feel embarrassment; lose face. Also,“面子上挂不住”.

(1) 小马手摸着后脑勺说：“不就是卖鸭子吗？我会干倒是会干，只是面子上挂不住，同事、朋友要是看见了……”小马爱人说：“管他呢！讲面子不是穷了这么多年？我不怕你丢面子，你还怕什么！”

(2) 他的回答很客气，话也说得很婉转，但是小丽的要求当众被顶回来，面子上仍有点儿挂不住，尴尬得满面通红。

(3) 那个孩子跑过去，又叫了声：“爸爸！”旁边的人都大笑起来。那个女人看见了，觉得脸上挂不住，就一把拖过儿子，点着他鼻子说道：“那不是你爸爸。”

13. 你越说我越**摸不着头脑**（mō bu zháo tóunǎo）了

不明白、糊涂，不知道怎么回事。

Cannot make head or tail of something.

(1) 进门一看，箱子、柜子里的东西全翻出来了，到处都是，安娜一时摸不着头脑，不知道发生了什么事。
(2) 老人叹了口气说：“你有个女儿叫小棠吧？”一句话问得我摸不着头脑，就点了点头没说话。
(3) 丁书杰大笑起来，王先生被弄得摸不着头脑，不知道这里面有什么可笑的。

14. 怪不得那群女生一来你就跟她们**打成一片**（dǎchéng yí piàn）
与别人相处很好、关系很密切。
Become one with or merge with a group.
(1) 他是个典型的知识分子，但质朴，没什么架子，很容易和普通人打成一片。他来这里时间并不长，就和全村的大人小孩都熟悉了。
(2) 这个单位有很多年轻人，他们热情、豪爽、关心时事，文芳来了以后，很快就与他们打成了一片。

15. 你干别的都是个**半瓶子醋**（bàn píngzi cù）
指对知识或技术知道得不多、很肤浅的人。
Dabbler; someone who pursues a smattering of hobbies or something else.
(1) 家里人都埋怨他：“那么多钢琴家不找，找来个半瓶子醋，把孩子都教歪了。”
(2) 我们厂是个小厂，请不起好的技术员，虽然知道白老汉家的老二只学过一两年，是个半瓶子醋，可没办法，也只好把他找来了。

16. 可跟女生打交道还真**有两下子**（yǒu liǎngxiàzi）
有本事、有本领。
Have real skill; really be something.
(1) 小琴说：“看不出来，你做菜还真有两下子，比我妈做的还好吃。”
(2) 青青笑着说：“你真有两下子，我还没说，你就猜出了我要说什么。”
(3) 李老师真有两下子，那么难的题他几句话就给我们讲明白了。

17. 你老给我**泼冷水**（pō lěngshuǐ）
打击某人的热情或积极性。
Throw cold water on; dampen the enthusiasm of.
(1) 我们兴奋地把这个计划交给了张书记，没想到他泼了我们一头冷水，说我们是不切实际的瞎想。

(2) 小丽回家一提要参加足球队的事，妈妈就给她泼了一头冷水，说女孩子踢球是瞎胡闹。

18. 前一段我还看见你跟王老师的女儿**打得火热**（dǎ de huǒrè）的

关系非常亲密、亲热。

Have an intimate relation with somebody.

(1) 小王来了没多久就跟他们几个打得火热，经常在一块儿喝酒，小王发现他们几个并不像别人说得那么坏。

(2) 这时，文博士已经和丽琳打得火热，俩人天天在一起，几乎没心再管别的事，连办公室都很少去了。

19. 不要**脚踩两条船**（jiǎo cǎi liǎng tiáo chuán）哟

比喻为得到好处跟两方面都保持联系。

Straddle two boats: have a foot in either camp; straddle the fence.

(1) 我们都劝他说，小娟和朱丽都是不错的女孩子，不要玩脚踩两只船的游戏，欺骗她们的感情。

(2)"这个时候应当抱住一头儿，不便脚踩两只船，你到齐畅家去，要是被公司的人看见，报告上去，不是会有麻烦吗？"高秘书说。

20. 干什么都是**雷声大雨点儿小**（léishēng dà yǔdiǎnr xiǎo）

比喻说打算做什么事的时候说得很响可实际不做。

Loud thunder but small raindrops: say much but do little.

(1) 他一直说要跟小崔他们比试比试，看到底是谁厉害，可雷声大雨点儿小，就是看不见他去找他们，这让想看热闹的人很是失望。

(2) 参与打架的不是别人，而是总经理的外甥，所以虽然公司早就说要严肃处理这件事，可雷声大雨点儿小，到后来领导们就不提这件事了。

有时比喻哭的声音很大可是没有眼泪，假装哭。

Sometimes it also means pretend to cry; or, cry but no tears.

(3) 奶奶说："你去劝劝小刚去吧，哭了半天了。"我说："别理他，他是雷声大雨点儿小，专门让别人听的。"

21. 我要让你们看看我是不是那种光会**耍嘴皮子**（shuǎ zuǐpízi）的人

很会说或者光说不做。

Engage in empty talk.

(1) 赵大是个搬运工，只会出力气流汗，不会耍嘴皮子，今天碰到了嘴比刀子还厉害的四嫂，只是干生气，一句话也说不出来。

(2) 听我说了半天，她一声不吭，最后，只冷冷地说："你不用耍嘴皮子了，想让我帮你干什么就直说了吧。"

练　　习

一、选用合适的词语填空：

看热闹　一溜烟儿　打得火热　不是滋味　耍嘴皮子　脸上挂不住
捏着一把汗　摸不着头脑　三寸不烂之舌　一块石头落了地

(1) 看着弟弟因为失恋而痛苦的样子，她的心里很________。

(2) 因为今天是绣文第一次上台，绣文妈妈心里比谁都紧张，躲在后台想看又不敢看，一直到听见前面的鼓掌声，她才算________。

(3) 小马很想缓和一下儿自己跟同事们的关系，就大声说："今天中午我请客，谁去?"可是并没有人响应他，他站在那儿，________了，不知道该说什么。

(4) 爸爸已经累得满头大汗了，一抬头看见我站在一边儿，就生气地说："二平，你怎么站在这儿________啊？还不赶快过来帮帮我?"

(5) 早上刚一迈进办公室，老刘就小声地问他："说实话，昨天你下班以后去哪儿了?"他被问得有点儿________，说："昨天？回家了，怎么了?"

(6) 老张很喜欢和年轻人一起聊天儿，所以到这儿没多久，他就和我们________。

(7) 屋子里的人都让三立说笑了，老张一边笑一边说："你干别的都不行，可________的功夫没人能比，真该让你去说相声。"

(8) 几个孩子跑过去一看，玻璃碎了一大块，里面传出了一个男人的叫骂声，吓得他们没敢捡球，转过身________地跑了。

(9) 我们这儿邻居谁家闹别扭啦、吵嘴啦、婆媳不和啦，都愿意去找他说说，他有个本事，凭着他那________，能让吵架双方吵着架来，拉着手走。

（10）一个小演员开始顺着竹竿慢慢地往上爬，观众席变得鸦雀无声，看着他越爬越高，大家都替他＿＿＿＿＿＿＿＿。

二、用指定词语完成下面的对话：

（1）A：我觉得他们想得太简单了，不会成功的。
B：＿＿＿＿＿＿＿＿。（泼冷水）

（2）A：你看见没有？哪儿有小孩子跟大人这么说话的？这种孩子也太气人了！
B：算了，＿＿＿＿＿＿＿＿。（跟某人一般见识）

（3）A：你看，我哥哥跟你姐姐是校友，咱们两家住得也不太远，你就帮我这个忙吧。
B：＿＿＿＿＿＿＿＿。（套近乎）

（4）妈妈：小明今天跟我说，他要用这段时间好好复习，准备明年考研究生。
爸爸：那好啊，＿＿＿＿＿＿＿＿。（雷声大雨点小）

（5）A：这么多工作，小刘一个人能做好吗？
B：＿＿＿＿＿＿＿＿。（夸下海口）

（6）女儿：他说明天请我吃饭，您说我去不去？
妈妈：别去，刚认识三天，＿＿＿＿＿＿＿＿。（打得火热）

（7）A：怎么啦？吵架了？别欺负女孩子！
B：这是我和她两个人之间的事，＿＿＿＿＿＿＿＿。（管闲事）

（8）A：这道题肯定不会错，这是苏群亲口告诉我的，他可是大学生。
B：什么大学生！＿＿＿＿＿＿＿＿。（半瓶子醋）

（9）A：这次比赛我们的总分是第一名。
B：＿＿＿＿＿＿＿＿。（有两下子）

（10）医生：孩子得的是感冒，问题不大，休息两天就会好的。
妈妈：太谢谢您了，＿＿＿＿＿＿＿＿。（一块石头落了地）

第十四课

你说这叫什么事儿啊

（中午小丽和同事芳芳一边吃饭一边聊天儿）

小丽：芳芳，你们这次去南方玩得不错吧？

芳芳：你快别**哪壶不开提哪壶**了。一提起这次旅行我就**气不打一处来**，花了不少**冤枉钱**不说，还生了一肚子气，受了不少罪。

小丽：真的？我在电视上看见有的旅游景点人山人海的，**除了人还是人**。

芳芳：可不。那天在野生动物园，我们足足排了三个多小时的队才看见那几只狮子老虎，本来不想排了，可大老远地去了，不看吧，觉得亏得**慌**。唉，这次去的太**不是时候**了，听说要在平时，**往多了说**每天也就几十个人。

小丽：其实干吗都**一窝蜂**似的非要"五一"出去玩？我才不去**凑**那**热闹**呢。

芳芳：是啊，这次我是吃够了苦头，本来是想趁着放假出去轻松一下儿，**好家伙**，比上班还累，你说**这叫什么事儿呀**！

小丽：甭管怎么说，你们大开了眼界，累点儿也值了。

芳芳：南方嘛，没去的时候老想去看看，可真去了也**就那么回事**了。好多地方说得这么好那么好，真到了那儿一看，也都**不过如此**。

小丽：我看从南方回来的都大包小包的带回不少东西，你们买什么好东西了？

芳芳：我们是想买点儿地方特产回来送人，可是转来转去也没看见什么特别的，都是**大路货**，送人哪儿**拿得出手**啊，所以干脆什么也没买。

小丽：是啊，现在北京什么都能买着。哎，下月秀文结婚，听说要在大饭店举行婚礼，那得花多少钱哪！

芳芳：她那个人太**爱面子**了，常常干**打肿脸充胖子**的事，我劝过她，可她不听。你看她的新房了吧？里面是**清一色**的进口电器，那都是用东挪西凑借来的钱买的。

小丽：为了脸上好看到处借钱，**何苦来呢**？哎，你说，咱们要是送礼，送多少钱的合适啊？

芳芳：**随大溜儿**吧，看看再说。听说这次进修又没有你，怎么回事？

小丽：哼，看我老实，他们就**拣软的捏**，没那么容易，我可**咽不下这口气**，明天我就去找张主任**讨个说法**，小张比我来得晚多了，凭什么让他去？

芳芳：人家**有后台**呗，你没看张主任什么事都**让他三分**。

小丽：太不公平了，我就不信没个说理的地方。

芳芳：你还是趁早打消这个念头吧，没见过**胳膊能拧过大腿**的。

小丽：你这么一说，我倒要试试！

芳芳：嘿，我越劝你你倒越来劲儿了！

注　释

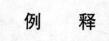

1. 人山人海：形容人非常多。
2. 大老远：非常远的（地方）。
3. 东挪西凑：从很多地方找来或借来凑到一起。
4. 说理：讲道理。
5. 趁早：抓紧时间。快一点，早一点。
6. 来劲儿：兴奋，有热情。

例　释

1. 你快别**哪壶不开提哪壶**（nǎ hú bù kāi tí nǎ hú）了

   某人说的话题或内容是说话人不愿意涉及的。

   Someone is talking about what the speaker does not like to talk about.

(1) 小丽笑着问："你不是说要学太极拳吗？学得怎么样了？"他连忙摆摆手："你怎么哪壶不开提哪壶啊！"旁边惠芬插嘴说："你不知道，他去了两天就不去了，早上起不来。"

(2) 本来开始的时候气氛挺好，大哥的脸上也有了点儿笑容，没想到小鹏哪壶不开提哪壶，说起了做生意的事，大哥顿时没了兴趣，转身就走了。

2. 一提起这次旅行我就**气不打一处来**（qì bù dǎ yí chù lái）

形容人非常生气。

Be angry; be furious.

(1) 看见儿子晃晃悠悠地回来了，老头儿气不打一处来，上去给了他一巴掌，嘴里还恨恨地骂道："我打死你这个不争气的东西。"

(2) 回到家，看见屋子里乱七八糟，丈夫和儿子盯着电视在看球赛，她气不打一处来，把手里的菜使劲摔在地上。

3. **花**（huā）了不少**冤枉钱**（yuānwangqián）不说

花了本来不必花的钱。

Pay more money than something is worth.

(1) 刚来的时候他不会讨价还价（bargain with a seller），人家说多少钱他就给多少，所以花了不少冤枉钱。

(2) 妈妈从来不带我们到理发馆去理发，她说那是花冤枉钱，还不如她自己剪得好。

4. **除了**（chúle）人**还是**（háishi）人

除了A还是A　全都是A或只有A没有别的。

All A; only A.

(1) 他每天除了看书还是看书，对身边别的事情一点儿也不感兴趣。

(2) 我们的车来到村外，那里除了野草还是野草，看不见一个人，我们好像到了一个无人的世界。

5. 觉得亏**得慌**（de huang）

A得慌　因为A（如"饿、累、憋"等）所以感觉不舒服、难受。

Feel ill or feel bad because of A (such as "饿", "累" and "憋").

(1) 她嫌外面晒得慌，所以这几天她哪儿也没去，躺在家里看小说。

(2) 这么多人挤在小屋里，还有人在抽烟，虽然打开了窗户，我还是觉得憋得慌，就悄悄溜了出去。

(3) 自从儿子跟他吵架搬出去住以后，他老觉得心里堵得慌，吃饭也不香了。

6. 这次去的太**不是时候**（bú shì shíhou）了

在时间上不合适。相反的意思说“是时候”。

At the wrong time. The opposite is“是时候”.

(1) 车到百花山，雨停了。我们来的不是时候，没有看到满山遍野的花，但是百花山给我留下了一个非常美的印象。

(2) 他来到了门口，突然觉得现在进去还不是时候，应该再等等。

(3) 二姐来得很是时候，她一来，紧张的气氛立刻缓和了。

7. **往多了说**（wǎng duōle shuō）每天也就几十个人

最多。也可说“往多里说”或“多说”。

No more than. Also，“往多里说” or “多说”。

(1) 不用坐车，走着去就行，书店离这儿不太远，往多了说也就三四站地。

(2) 他们离开家后，就很少回来，一年往多了说也就回来一两趟。

8. 干吗都**一窝蜂**（yìwōfēng）似的非要“五一”出去玩

形容人多、混乱的样子。

Like a swarm of bees (a chaotic crowd).

(1) 大成还没来得及说话，教室里的同学们已经一窝蜂似地跑出来，围住了他，给他鼓掌，问这问那。

(2) 走廊里传来了一片脚步声，不知是哪一个班离开教室到操场上去了。“快，快！”班主任着急地催促大家，于是同学们一窝蜂地拥出了教室。

9. 我才不去**凑**（còu）那**热闹**（rènao）呢

哪儿人多热闹就去哪儿，也指已经很糟糕了又增添麻烦。

Join in the fun. It also means add to the trouble.

(1) 表妹一家要走了，八叔做了一桌子的菜给她送行，我也去凑了个热闹。

(2) 瑞丰喜欢热闹，在平日，亲戚朋友家的喜事，他非去凑热闹不可，就是谁家办丧事也少不了他。

(3) 这几天她身体本来就不好，连做顿饭也不容易，偏偏她住的破房子也来凑热闹，外头一下雨，屋里就漏个不停。

10. **好家伙**（hǎojiāhuo）

叹词，表示惊讶或赞叹。

Gosh. It is an exclamation of surprise (in either admiration or dismay).

(1) 我从地上拣起一只军用水壶，好家伙！那么小的一个东西，上面竟然有五个弹眼（bullet hole）！你就知道这仗打得有多厉害！

(2) 爷爷告诉我那两头羊不是本地的品种，叫“高加索”，我一看，好家伙，比毛驴还大。

(3) 出现在他眼前的是一大片蘑菇。他兴奋极了，心里直跳。“好家伙！这么多！”他简直不知道该先采哪一个了。

11. 你说**这叫什么事呀**（zhè jiào shénme shì ya）

表示说话人对某事的不满或愤怒。

It indicates that the speaker is discontented with or angry about something.

(1) 走过去以后，她听见姐妹俩还在小声骂着什么。她很不舒服，心想，这叫什么事儿呀，小小年纪就会骂那么难听的话。

(2) 马瑞气哼哼地说：“我和夏清什么事也没有，就是一般的同学，您别瞎猜，您是我爸爸，老跟人家开这种玩笑，这叫什么事呀。”

12. 可真去了也**就那么回事**（jiù nàme huí shì）了

不特别好、很一般或指没有特别的。

Not very good; so-so.

(1) 在结婚以前，她也有这样那样的期待、幻想，等真结婚了，才发觉婚姻就那么回事，远不是她想的那么浪漫。

(2) 一年之后，我们家终于分了一套三居室。对于我妈和我弟来说，生活条件好了很多。可我觉得就那么回事，跟住房条件好的还是不能比。

13. 也都**不过如此**（búguò rúcǐ）

也就这个样子，没有什么特别的，不是很好。

So-so; passable; barely acceptable.

(1) 我们去尝了以后才知道，所谓的名厨师，做的菜味道也不过如此。

(2) 高松听了以后，撇了撇嘴说：“我以为你有什么高见呢，原来也不过如此！”

(3) 那个女孩子抬起右腿，用脚跟向他胸脯上一蹬，他一时脚没站稳，仰面朝天倒了。那个女孩子笑着说：“你不是冠军吗？原来冠军也不过如此！”

14. 都是**大路货**（dàlùhuò）

普通的、一般的东西。

Popular goods of average quality.

(1) 妻子说："人家是当官的，什么没见过，你要是送这种大路货给人家，还不得让人家笑话死。"

(2) 写了几行以后，他发现自己写的不是论文，而是晚报和旅游杂志上用的大路货。

15. 送人哪儿**拿得出手**（ná de chū shǒu）啊

某事物很好，所以值得送给别人或愿意给别人看。相反的意思说"拿不出手"。

Something is presentable. The opposite is "拿不出手".

(1) 我不觉得自己是什么专家，我只当过舞蹈演员，只在舞蹈学院进修过，没有拿得出手的成绩或者资历。

(2) 她对自己很有信心，就凭她的模样、年岁、气派，一定能拿得出手去，一定能讨曹太太的喜欢。

(3) 看见别人送的礼物，起码都是一二百块钱的，我们俩心凉了半截，三十多块钱的东西简直拿不出手。

16. 她那个人太**爱面子**（ài miànzi）了

怕被人看不起，怕损害自己的体面。

Be concerned about saving face; be sensitive about one's reputation.

(1) 没有外人的时候，他们俩不停地吵，彼此像敌人一样，可是他们又都是爱面子的人，所以宁愿让父母和朋友觉得他们是挺幸福的一对儿。

(2) 一开始小林爱面子，总觉得如果说自己什么都不能办，会让家乡人看不起，就答应试一试，但往往试也是白试。

17. 常常干**打肿脸充胖子**（dǎ zhǒng liǎn chōng pàngzi）的事

比喻为了面子好看而说大话或做自己没能力做的事。

Puff oneself up (beyond one's means).

(1) 一听他说婚礼要摆三十桌酒席，老陈就劝他："三十桌？那得花多少钱啊？你家的经济情况谁不知道？别打肿脸充胖子了，买点儿喜糖就行了。"

(2) 奶奶直埋怨他，没有能力就别接那个活儿，何必打肿脸充胖子呢？到最后还不是自己受罪吗？

18. 里面是**清一色**（qīngyísè）的进口电器

全都是同一种或同一个样子、同一个颜色。

Uniform; identical; all of the same color.

(1) 这条街没有新式的大厦，都是清一色的老式楼房，透着古色古香的味道。

(2) 铜管乐队的乐手们清一色是五大三粗的码头工人。

(3) 那些女人衣着可时髦啦！出入当然是进口车，而且是清一色国际名牌！

19. **何苦来呢**（hékǔ lái ne）

意思是不值得去做（让自己麻烦、不愉快的事）。也说“何苦”。

There is no need; why bother. Also,“何苦”.

(1) 二奶奶劝她说：“你嗓子都哭哑了，这是何苦来呢？要是哭能把你一家人哭回来，我就不拦着你，我也可以帮你哭。”

(2) 你们这样做，既损害了他的声誉，也降低了你们的威信，何苦来呢！

(3) 我笑着说：“你这是何苦来呢？他不愿意去就算了，你非拉着他去也没意思。”

20. **随大溜儿**（suídàliùr）吧

跟着大多数人说话或做某事。

Go with the flow; follow the crowd.

(1) 那时我的朋友大多一毕业就工作了，我也随大溜儿当上了售货员。

(2) 她在穿衣服方面决不随大溜儿，总想搞出点儿与众不同来，所以有时难免闹点儿笑话。

21. 他们就想**拣软的捏**（jiǎn ruǎn de niē）

专门欺负老实人。

Bully or take advantage of those who are weaker.

(1) 他生气地说：“去那种地方出差，你为什么不挑大力？为什么不挑郑天奇？偏偏挑上我！这不是专门拣软的捏吗？”

(2) 那些人最坏了，专拣软的捏，你到了那儿就知道了，所以你得给他们点儿厉害，他们就不敢欺负你了。

22. 我可**咽不下这口气**（yàn bu xià zhè kǒu qì）

受的欺负不能忍耐。相反的意思说“咽下这口气”。

Cannot swallow an insult; cannot bear the shame. The opposite is“咽下这口气”.

(1) 那些人的讥笑、辱骂又出现在他面前，今天他再也咽不下这口气了，他要去找他们拼命，他要讨回自己的尊严。

(2) 他们人多，手里又有枪，你就先咽下这口气吧，君子报仇，十年不晚。

23. 明天我就去找张主任**讨个说法**（tǎo ge shuōfa）

要求得到一个公正、合理的结果或解释。

Arrive at a reasonable explanation or conclusion.

(1) 她丈夫劝她说，既然人家把东西还回来了，那就算了吧，可她不干，她要找上级讨个说法，不能就这么糊里糊涂地完了。

(2) 一年以前，国内一家出口企业受到美国的反倾销调查，他们勇敢地到美国法庭应诉。最后这家企业的应诉成功了。由于这是中国第一家出口企业赴美为自己“讨说法”，国内的新闻媒介也就格外重视，给予了详细的报道。

24. 人家**有后台**（yǒu hòutái）呗

后面有有权势的人支持。

Be backed up; have backing.

(1) 大家私下议论说，还是人家楚军有后台，出了这么大的事故，厂子也不敢拿他怎么样。

(2) 小严是有后台的，在这儿待不长，很快会调回去，然后升官。

25. 你没看张主任什么事都**让**（ràng）他**三分**（sān fēn）

忍让、容忍一点。

Be tolerant.

(1) 李老伯在村子里辈分最高，年龄也最大，谁他都敢骂，所以连队长也让他三分。

(2) 他是个打起架来不要命的人，那些小流氓看见他也让他三分，但他从不干缺德事。

26. 没见过**胳膊能拧过大腿**（gēbo néng nǐngguo dàtuǐ）的

胳膊拧不过大腿　弱小的没有能力反抗或战胜强大的。

The weak cannot resist or conquer the strong.

(1) 她不满意父母给她包办的那门婚事，她哭过，闹过，可毕竟胳膊拧不过大腿，最后还是照父母的意思嫁了过去。

(2) 他们动了不少脑筋，费了不少劲儿，可胳膊拧不过大腿，他们还是乖乖儿地交出了钥匙，走了。

练　习

一、理解下面加线的词语：

(1) 他们搬进去没多久，就把老两口儿住的房间当成了客厅，老两口儿被赶到上面的小阁楼去住，邻居们知道后，都说，这叫什么事啊，阁楼是放东西的，怎么能住人呢？很快有人就把这事告诉了街道王主任。

(2) 他本来要说"这都是你们从小娇惯他的后果"。可是，这么说既解决不了任何问题，又增加了老人们的烦恼，何苦来呢，所以他闭上了嘴，什么也没说。

(3) 大春跑进来，放下手中的小包，一边脱雨衣一边说："好家伙，差点儿摔了两个大跟头，一下雨这地上可真滑！"

(4) 老刘仔细听着如惠的话，怎么听都像在骂自己是"笨蛋"，他不禁又羞又恼，加上到现在肚子里还空空的，更是气不打一处来。

(5) "他们把人打成这个样子，在派出所关了几天就放出来了，还不是因为他们是那个所长的亲戚！我咽不下这口气！得让他们赔钱，不能就这么完了！"大妈一边哭一边说。

二、选用合适的词语填空：

随大溜儿　一窝蜂　爱面子　清一色　大路货　往多了说　那么回事
不是时候　哪壶不开提哪壶

(1) 我对他说："你今天来得可________，现在我得去飞机场接个人，等我回来咱们再接着下那盘棋吧。"

(2) 到三年级后，我们可以自己选一种外语学，我没什么主意，看见多数同学选的是日语，我就________也选了日语。

(3) 姨妈家并不是很有钱，可她很________，她早就声明，表哥的婚礼要在最大的饭店举行，花多少钱都没关系，决不能办得比别人差。

(4) 这群孩子都伸着头往窗户外看，看见橘子送来了，________跑过去，你一个我一个地抢到手里，剥开皮就吃。

（5）他来了没多久，就把那些年龄大的人换了下来，现在你去看吧，站柜台的是________________的年轻姑娘，个个都跟时装模特似的。

（6）那家工厂里的女工没有多少，________________也超不过二十个，年纪都不大，差不多还是孩子，可每天都要工作十二个小时。

（7）那套家具在商店里摆着的时候，颜色、式样看上去都还可以，可买回家后，放在自己的房间里，我觉得就________________了。

（8）本地的年轻人买衣服都喜欢去什么精品店、专卖店，他们说百货大楼卖的服装都是________________，只有外地人才去那儿买。

（9）A：听说小王这次考试又没通过，明天看见他我问问是怎么回事。

B：他正为这事难过呢，你别________________，碰见他就跟他说点儿高兴的。

三、用指定词语完成下面的对话：

（1）妹妹：广告上说穿这种拖鞋可以减肥，咱们也买一双吧。

姐姐：怎么可能呢？别买了，________________。（花冤枉钱）

（2）A：你那个房间挺大的，光线也好，干吗要换呢？

B：那个房间靠着马路，________________。（A得慌）

（3）A：明天是我女朋友的生日，你看我送她一盘磁带怎么样？

B：________________。（拿不出手）

（4）儿子：大表哥他们一家回来了，吃完饭我去他家玩玩。

妈妈：你在家写你的作业吧，________________。（凑热闹）

（5）A：我还没去过张先生家，听说他家书很多，是吗？

B：是啊，________________，跟个小型图书馆似的。（除了A还是A）

（6）A：他做得太不像话了，你们为什么不敢反对他呢？

B：他父亲是局长，________________。（让三分）

（7）A：人家不是答应赔钱了嘛，你们何必去请律师打官司呢？

B：不是钱的问题，________________。（讨个说法）

第十五课

我已经打定主意了

（宝山正在跟好朋友京生聊天）

宝山：我真是想不通，放着好好的工作不干，你辞什么职啊？不是真的吧？你可不要**脑子**一时**发热**呀。

京生：那还有假？我已经**打定主意**了，辞职报告都递上去了，**说话就**批下来，到时候我就跟他们彻底拜拜了。

宝山：现在下海的人多了，可没人像你似的连一条**后路**也不**留**，真有你的！你不怕单位领导对你**有看法**？

京生：他们爱怎么想就怎么想。一个人要是**前怕狼，后怕虎**，那就什么事也干不成。

宝山：说得也是。不过，我一直想**问个究竟**，好好儿地你为什么要辞职呢？你那个工作挺**有油水儿**的，多少人都到处**找门路**想挤进去呢。

京生：我是看不惯那些人，没意思到家了，挺大的男人跟家庭妇女似的，一上班就**仨一群，俩一伙**地凑在一起嘀嘀咕咕，议论这个议论那个，**东家长，西家短**的，一点儿正经事也不干，跟这些人在一起真没意思。

宝山：嗨，他们**是**他们，你**是**你，你**犯不着**因为他们就把个好端端的**铁饭碗**扔了呀。

京生：我实在是呆不下去了，你知道我不**会来事儿**，说话向来是直来直去，不像那些**马屁精会说话**，所以头儿的**眼里**根本**没有**我，我多**卖力气**也白搭，还净**吃哑巴亏**。光这些还不算，更要命的是，我的专业在那儿一点也不对口儿。

宝山：这么说来，我倒有点儿理解你了。哎，你们家里什么意见？

京生：前天我才硬着头皮跟他们说了，**不出我所料**，我的话音没落，家里就**炸开了锅**，那份热闹劲儿就别提了。我看我爸都恨不得给我两巴掌了。

宝山：你是够可以的，**再怎么说**，你也应该先跟家里商量商量啊。

京生：就他们那老脑筋，跟他们绝对商量不通，我懒得跟他们废话，干脆先斩后奏，反正现在说什么也晚了，他们骂就骂两句吧。

宝山：那你找好工作啦？

京生：我打算去广州、深圳闯闯看，不过，我这**心里**也直**打鼓**，不知道到了那儿会怎么样。

宝山：我想起来了，我有个关系不错的同学在深圳，去了好几年了，我把地址给你，你可以去找他试试，说不定能帮上你一把，出门靠朋友嘛。

京生：嗨，那可太好了。

注　释

1. 辞职（cí zhí）：请求解除自己的职务，主动要求离开，放弃自己当时从事的工作。（resign）
2. 拜拜（báibái）：再见，是英语 bye-bye 的译音。
3. 下海：放弃原来的工作去做生意。
4. 嘀嘀咕咕（dídi gūgū）：小声说话。
5. 正经事：正当的事。（serious affairs）
6. 好端端：很好，情况正常。
7. 白搭（dā）：没有用，不起作用。
8. 先斩（zhǎn）后奏（zòu）：比喻先把事情做了再报告给上级。（act first and report afterwards）
9. 出门靠朋友：来自俗话“在家靠父母，出门靠朋友”，指离开家后需要朋友互相帮助。

例　释

1. 你可不要**脑子**（nǎozi）一时**发热**（fā rè）呀

一时的冲动，没有经过周密的考虑。

Be hotheaded; impulsive.

(1) 老张有点后悔，说："当时我喝了不少酒，听她说得那么可怜，我的脑子一发热就答应了她。"

(2) 父亲常常告诫我，干什么事都得谨慎，想清楚了再做，不要脑子发热干傻事。

2. 我已经**打定主意**（dǎ dìng zhǔyi）了

下决心了，决定了。

Make up one's mind.

(1) 大牛已经打定主意，要去见一见兰兰，他不想考虑这样做合适不合适，反正他今天晚上非见她一面不可。

(2) 我打定主意不告诉他这一切，免得引起我们之间更大的不愉快。

3. **说话就**（shuō huà jiù）批下来

说话就 + VP　马上、很快（做某事）。

In no time; no sooner said than done.

(1) 刘大妈对我们说："晚饭说话就做好了，你们就在我这儿吃吧。"

(2) 到了他家，他不在，他爱人让我们进屋等一会儿，说他买烟去了，说话就回来。

4. 可没人像你似的连一条**后路**（hòulù）也不**留**（liú）

留后路　留一条退路以防万一。

Leave a way out or an escape route.

(1) 她悄悄地在郊区买了一套房子，为的是给自己留一条后路，万一将来没有了依靠，自己还有个地方住。

(2) 我并没有把手头的钱全拿出来，我从一开始就知道这种合作不会太长久，给自己留条后路是绝对必要的。

5. 你不怕单位领导**对**（duì）你**有看法**（yǒu kànfǎ）

对（某人）有看法　（对某人）不满、有不同意见。

Have complaint about somebody.

(1) 我答应按他们的要求去做，尽管我心里对他们这么做有看法，但我只是个普通的职员，没有权利说"不"。

(2) 在生活方式上或者处理问题上，我对母亲有一些看法，但是这不影响我尊重她，孝敬她。因为她已经是那样了，我不可能改变她的生活方式和生活观念。

6. 一个人要是**前怕狼，后怕虎**（qián pà láng, hòu pà hǔ），那就什么事也干不成

有很多顾虑和担心。

Fear wolves ahead and tigers behind：be full of fears or worries；paranoid.

(1) 三嫂说道："干什么事都会有危险，你一个大男人，老是前怕狼，后怕虎哪儿行啊？"

(2) 他想到，那些无名的英雄，多数是没有受过什么教育的乡下人，他们为国家牺牲了生命！可是有知识的人，像他自己，反倒前怕狼，后怕虎地不敢勇往直前。

7. 我一直想**问个究竟**（wèn ge jiūjìng）

问明白到底是怎么回事。还可说"看个究竟、知道个究竟"等。

Ask what actually happened；get to the bottom of the matter. Also, "看个究竟", "知道个究竟".

(1) 妈妈看出他们夫妻俩神色有点儿不对，猜想俩人一定闹了别扭，可人家不说，自己也不好去直接问个究竟。

(2) 看到这神奇的一幕，观众们都忍不住想要问个究竟，到底是什么力量使得他不怕烈火。

(3) 花园里的人也都听见了秀云那声可怕的尖叫，都跑过来看个究竟。

8. 你那个工作挺**有油水儿**（yǒu yóushuir）的

对自己有好处、有利可图。

Profitable.

(1) 他盼着大哥赶快当官，也快快给自己弄个有油水儿的工作。

(2) 他笑着说："穷只有一个好处，那就是不用怕小偷，多年来我们这儿没丢过东西，因为小偷知道我们这里没有什么油水儿。"

9. 多少人都到处**找门路**（zhǎo ménlu）想挤进去呢

找能达到目的的方法或途径。

Solicit help from potential backers；solicit social connections.

(1) 有一阵，北京因为缺少教师要从外地调人，一些妻子在外地当教师的就拼命找门路把家小都接来了，等他知道，已经晚了。

(2) 他说他也没办法，实在太想出国了，找了这么多年才找到这么一个门

路，再不出去，他就只有在国内当一辈子教书匠了。

10. 一上班就**仨一群，俩一伙**（sā yì qún，liǎ yì huǒ）地凑在一起嘀嘀咕咕

一些人分别聚在一起。

In small groups.

(1) 下课铃声一响，学生们仨一群，俩一伙地向操场跑去，操场上顿时一片欢笑声。

(2) 村子里的人来了，可他们并不围过来，只是站在远处，仨一群，俩一伙地低声交谈着。

11. **东家长，西家短**（dōng jiā cháng，xī jiā duǎn）的

比喻议论邻里之间的事或别人的好坏是非。

Gossip about other people's or neighbors' affairs or matters.

(1) 一到夏天，男人们就在路灯下打扑克，小孩子跑来跑去地追着玩，老太太们则坐在一起东家长，西家短地聊天儿。

(2) 村子里的那些女人闲得没事干，天天在一起东家长，西家短，什么事到了她们嘴里就热闹了。

12. 他们**是**（shì）他们，你**是**（shì）你

A 是 A，B 是 B　A 和 B 没有关系或不一样。

A is different from B; or, A has nothing to do with B.

(1) 兆林摆了摆手，对我说："你也别劝我，从今以后，他是他，我是我，我没他这么个儿子，他也没我这个爸爸了。"

(2) 我们的出身和家庭不太一样，她第一次来过我家之后认为我们俩不合适，地位太悬殊，我说："家是家，我是我。"确实，我并没有什么优越感。

(3) 看见姐夫递过来的钱，我忙说："姐夫，我姐姐已经给我五百了。"姐夫笑着说："拿着吧，她的是她的，我的是我的。"

13. 你**犯不着**（fàn bu zháo）因为他们就把个好端端的铁饭碗扔了呀

不必或不需要（做某事）。

There is no need to or it is not worthwhile to (do something).

(1) 我劝他说："他打你，也是为你好，他毕竟是你的父亲，你根本犯不着跟他作对。"

(2) 柳霞说："我没有教育好孩子，是我的责任。你要说，就说我；要骂，

就骂我。孩子有什么责任？犯不着对他生这么大气。”

14. 你犯不着因为他们就把个好端端的**铁饭碗**（tiěfànwǎn）扔了呀

指有保证的、稳定的工作。

Iron rice bowl; secure job.

(1) 父母都愿意自己的孩子进国营企业（state enterprise），认为端上个铁饭碗，一辈子都不用发愁了。

(2) 我们在办公室的工作真是太没有意思了，也想到外面去闯一闯，可又觉得丢掉手里的铁饭碗怪可惜的。

15. 你知道我不**会来事儿**（huì láishìr）

知道怎样取悦别人。

Know how to please other people.

(1) 梅芬很听话，也很会来事儿，什么事都顺着奶奶，所以奶奶最喜欢她，总偷偷地给她好东西吃。

(2) 她埋怨我在领导面前不会来事儿，所以有什么好事也到不了我手里。

16. 不像那些**马屁精**（mǎpìjīng）会说话

向别人讨好、拍马屁的人。

Bootlicker; fawner.

(1) 林经理身边那几个马屁精专拣他爱听的说，我们向他反映实际情况，他倒认为我们是小题大做，根本不相信我们说的。

(2) 小刘是我们这儿出了名的马屁精，拍马屁的水平很高，那些头头儿让他拍舒服了，自然少不了他的好处。

17. 不像那些马屁精**会说话**（huì shuōhuà）

指会说好听的让别人喜欢的话。

Know how to speak in order to please others.

(1) 他觉得自己比大哥长得漂亮，比大哥聪明，比大哥会说话，这样的好事就应该是他的。

(2) 大姐说：“志芳，你不太会说话，万一哪句没说对，奶奶的气就更大了，还是我去吧！”

(3) 吴平不是一个很会说话的人，但是他做得很好。

18. 所以头儿的**眼里**（yǎn li）根本**没有**（méiyǒu）我

眼里没有（某人） 看不起或不重视某人。

Look down on somebody or do not pay attention to somebody.

(1) 妈妈抓住我，说："这么重要的事你都不跟我们商量商量，你的眼里还有没有父母？"

(2) 他在比赛中获奖以后，更得意了，眼睛里再也没有别人，连老师他都有点儿看不起了。

19. 我多**卖力气**（mài lìqi）也白搭

出力气、努力。

Exert all one's strength or energy; do all one can.

(1) 妈妈不满地说："你看你累得这个样子，给别人干活，比给自己干还卖力气。"

(2) 自中秋后，他一天也没闲着，有时候累得都没力气上床了，他是为儿子，所以才卖这么大的力气。

20. 还净**吃哑巴亏**（chī yǎbakuī）

吃亏了可是还不能说出来。

Suffer something in silence; have to keep one's grievances to oneself.

(1) 当初他借钱的时候，我没好意思让他写借条，心想，都是朋友，不会有问题，没想到现在他不承认借钱的事，我手里又什么凭据也没有，吃了这么个哑巴亏。

(2) 阿昌太爱财了，听信了骗子的花言巧语，被骗走了一大笔钱，等骗子走了，他才明白过来，可已经晚了，吃了个哑巴亏，他差点被气疯了。

21. **不出**（bù chū）我**所料**（suǒ liào）

不出（某人）所料 正如某人事先预料到的，也可以说"如某人所料"。

As expected.

(1) 果然不出老太太所料，到了下午，孩子的头不那么热了，还起来吃了一小块西瓜。

(2) 最后总算问清楚了，不出所料，这件事跟大海确实有关系。

(3) 听到这个消息，李叔叔的态度正如我们所料，嘴都快气歪了。

22. 家里就**炸开了锅**（zhàkāile guō）

比喻因为吃惊、生气而大声吵嚷。

Shout in confusion (from either surprise or anger).

(1) 到过年的前一天，队长宣布说，要过一个新式的春节，过年不放假了。大家一听都炸开了锅，有的干脆大骂起来。

(2) 他把车站发生的事说了一遍，几个人一听就炸开了锅，嚷嚷着要去给他报仇。

23. **再怎么说**（zài zěnme shuō），你也应该先跟家里商量商量啊

不管怎么样。

No matter how.

(1) 我安慰她说："其实，就算夏青听到什么也不会怎么样。再怎么说你也是她妈，生她养她的妈。"

(2) 老齐说："我的话他还是会听的，再怎么说，我也是他的师傅，我了解他的脾气。"

(3) 我知道他有他的难处，可再怎么说，他也不能连句话也不说啊。

24. 我这**心里**（xīn li）也直**打鼓**（dǎ gǔ）

有点儿担心、害怕、犹豫。

Feel uncertain，diffident，or nervous.

(1) 我这是头一回去一个大教授的家，到了门口，我这心里还在打鼓，是进去还是不进去呢，最后心一横，伸手敲了几下门。

(2) 工会主席说最好找一家茶馆，一边喝茶一边谈。宝庆不明白这个平时理也不理他的人到底想干什么，心里直打鼓，怕是没好事儿。

练　习

一、理解下面加线的词语：

(1) 出国以前她把能卖的东西都卖了，可那所房子她没有卖，她得<u>给自己留条后路</u>，万一在国外混不下去，她回来就不至于连个落脚的地方都没有了。

(2) 那人把一叠钱递给他，说："刚从银行取出来的，你再数数。"小张觉得要是一张一张地数，有点儿不相信对方的意思，就没数，等回到家，他发现少了五张一百的，可现在找到人家也说不清啊，辛苦半天没赚到钱，<u>吃了个哑巴亏</u>。

(3) 老张说："那条项链很值钱，丢了也确实很可惜，可<u>再怎么说</u>，那也

只是个东西，你不能为了一个东西就打人哪！”

二、选用合适的词语填空：

犯不着　有油水儿　会说话　铁饭碗　卖力气　炸开了锅　问个究竟

脑子发热　嘀嘀咕咕　打定主意　不出我所料　前怕狼，后怕虎

(1) ________________,那个纸条就是张小姐写的,这是她亲口告诉我的。

(2) 爸爸笑着说："你别信他的，这都是他________________说的话，明天他就会忘了。"

(3) 庆生看见他一个人回来了，很是纳闷儿，想过去________________，又怕哪句话没说好惹他不高兴，只好把话咽下了。

(4) 听说他们的代表被抓起来了，他们顿时________________，全都站起来要冲出去。

(5) 老白已经四十多岁了，看起来还挺精神，他很________________，遇到邻居因为一些小事打架吵嘴，他几句话就能把大事化小，小事化无。

(6) 局长走进会场的时候，杨队长他们正________________地低声交谈着什么，看见局长来了，大家不约而同地都不说了。

(7) 张老师说："干什么事都得动动脑筋，光________________不讲究方法，永远做不好。"

(8) 冬儿离开家以后，________________今后不再回家，所以这三年里她只给家里写了三封信。

(9) 人们都夸大哥是个做事谨慎的人，可是大嫂却总是说大哥干起事来________________，不像个男子汉。

(10) 他就是随便说说，开个玩笑，你________________这么生气。

(11) "上级让老王去那儿当厂长，他为什么不去啊？""你们怎么那么傻？在这儿当主任多________________啊，看看他家里就知道他有多少钱了。"

(12) 妈妈劝我说："你的工资是不高，可你的工作是个________________啊，有了它，你什么都不用发愁了。"

三、用指定的词语完成句子：

(1) A：你说，我妹妹是不是还恨我呢？我那天真不该那么说她。

B：她不会恨你的，________________。(再怎么说)

(2) 女儿：妈妈，都快七点了，晚饭好了没有？

妈妈：别着急，________________。(说话就)

(3) A：嘿，你看，小丽来了，快过去跟她说呀！

B：不行啊，________________。(心里打鼓)

(4) A：你昨天一句话也没说，是不是不同意我们的做法啊？

B：没错，________________。(对……有看法)

(5) A：我哥哥坚决反对我跟小张交朋友，嫂子，你的意见肯定跟我哥哥一样，两口子嘛！

B：你说错了，在这件事上，________________。(A 是 A，B 是 B)

(6) 爸爸：你看你大哥，越念书越聪明，你怎么越念越糊涂啊？

儿子：________________。(A 是 A，B 是 B)

(7) A：你看，老张看见咱们就跟不认识似的，一句话也不说。

B：________________。(眼里没有人)

(8) A：你不是说跟我们去吗？怎么又变主意了？

B：我是很想去，可我回家一说，________________。(炸开了锅)

第十六课

那些菜真不敢恭维

（大龙下班后回到家，看见爱人红霞正在厨房做饭）

大龙：饭还没做好呢吧？你看我能帮你干点儿什么？

红霞：我可不敢让你帮忙，你就会**帮倒忙**。晚上咱们吃面条，这就好了。

大龙：吃炸酱面？太好了！今天中午我就吃了个半饱，早饿了。

红霞：在哪儿吃的？怎么会没吃饱呢？

大龙：我不是当主任了吗？小张他们几个就**打我的主意**，非要我请客吃西餐。所以今天中午我们就找了个西餐厅，吃了一顿。

红霞：西餐？不错呀。吃什么了？

大龙：要我说，西餐就是**样子货**，摆得倒挺好看，又是刀又是叉的，可那些菜的味道真**不敢恭维**，**还**法国大菜**呢**！有的连炒也不炒，就吃生的，牛肉烤得也是半生不熟的，一端上来，我们几个**大眼儿瞪小眼儿**，谁都不敢吃，结果钱没少花，却饿着肚子回来了。

红霞：人家就那个吃法，你们这些人哪，真是没**见过世面**，简直像个**土包子**。看你们要是出国可怎么办？总不能天天煮方便面吃吧？

大龙：我可不出国，**说一千道一万**，还是咱们中国菜好吃，要不怎么来咱们中国的外国人那么多呢？

红霞：**这是哪儿跟哪儿啊**，难道人家大老远地来中国就是为了吃？难道咱们中国没有别的，只有吃的？

大龙：开个玩笑嘛。对了，这个礼拜天小毛他们来，怎么招待他们呀？

红霞：你说呢？

大龙：我听你的，到时候该干什么你说一声，我来给你当跑腿儿的。

红霞：你这个**甩手掌柜**日子过得真舒服，家里什么事都要我操心。真羡慕你姐姐找了个好丈夫，看你姐夫，家里大事小事都能**拿得起来**，在外边也**吃香的喝辣的**，什么好事都落不下。你姐姐多省心哪，她比我大三岁，可看上去得比我小好几岁。

大龙：得了吧，一个大男人回家就围着锅台转，让人**笑掉大牙**。再说，我工作多忙啊！

红霞：是你太懒，别老拿工作忙当**挡箭牌**！

大龙：你那么能干，我想干，也**插不上手**啊。你知道吗？我老跟别人夸你是个百里挑一的贤妻良母，我也觉得我很有福气。

红霞：你就会给我**戴高帽**。其实，你也别夸我，在教育儿子上你别跟我**唱对台戏**就行，你看你昨天对儿子的那个样子，哪儿能那么骂孩子呀！

大龙：我昨天是有点过火儿了，不过，小凡这孩子**翅膀硬**了，真是越来越不听话，我这一片**好心**全让他**当成驴肝肺**了。

红霞：你的态度和方法太**成问题**。我知道你有时候工作不顺，可不能拿孩子当**出气筒**啊。你得好好改改你的**家长作风**，孩子大了，有自己的主意了，还能什么都听你的？

大龙：改，我正在努力改呢。

注　释

1. 炸酱（zhá jiàng）面：中国北方人，特别是北京人喜爱吃的一种面条。
2. 半生不熟：指食物做得不很熟，还有一点儿生。
3. 跑腿儿：给别人到处跑做些不重要的杂事。（go on errands）
4. 锅台：指做饭的台子。
5. 百里挑一：一百个里面挑选出一个，形容十分出色。
6. 贤（xián）妻良母：指又是好妻子又是好母亲的女人。
7. 过火儿：过分，超过适当的分寸或程度。

例　释

1. 你就会**帮倒忙**（bāng dàománg）

想要帮忙，可实际增添麻烦。

Be more of a hindrance than a help.

(1) 听说老张家要盖房子，我也要去帮忙，可他们不让我去，说我什么也不会做，去了人家还要照顾我，纯粹是给人家帮倒忙。

(2) 李老师搬家的时候几乎全班同学都去帮忙了，结果摔了三个碗和一个花瓶，还把李老师的眼镜不知道弄哪儿去了，帮了个倒忙。

2. 小张他们几个就**打**（dǎ）我**的主意**（de zhǔyi）

打（某人或某物）的主意 在某人或某物上想办法、想主意。

Think of a plan to do something from somebody or something.

(1) 很快，卖电视的那点儿钱也花完了，他又开始打那台洗衣机的主意，有一天趁家里没人，他把洗衣机卖了一百二十块钱。

(2) 小郑问："那个叫惠芳的姑娘长得不错，有没有男朋友？帮忙给我介绍介绍？"我笑着说："你快别打人家的主意了，人家都结婚两三年了。"

3. 西餐就是**样子货**（yàngzihuò）

外表好看可质量或性能不好的东西，也指外表好看可没实际用处的东西。

Something that looks good on the outside, but actually is not very useful or lacking in quality.

(1) 我买的这把刀看上去挺亮，很精致，可切菜、切肉一点儿也不好用，纯粹是个样子货。

(2) 附近那家饭店名气挺大，做出来的菜特别好看，跟艺术品似的，可都是样子货，味道不怎么样。

4. 可那些菜的味道真**不敢恭维**（bù gǎn gōngwei）

委婉地表示不好，没有办法称赞。

Dare not compliment: it is a polite method to say "something is not good".

(1) 歌厅里一个老板模样的男人正在唱一首流行歌，那歌唱得让人不敢恭维，可竟然还有不少人给他鼓掌。

(2) 郑实已经出版了好几本小说了，很受欢迎，可说实在的，他的字写得真不敢恭维，还不如我那八岁的外甥写得好看呢。

5. **还**（hái）法国大菜**呢**（ne）

说话人对某事物或某人不太满意，因为它或他不具备说话人认为应该具有的某种优点。

The speaker is disappointed by some person's lack of ability or something does not meet the speaker's expectation.

(1) 我告诉爱琳我不能帮她说假话骗别人，爱琳听了以后，撇了撇嘴说："还好朋友呢，这点儿忙都不帮，我去找别人。"

(2) 没过两天，洗衣机又不转了，德钢气得踢了一脚洗衣机，说："还全自动呢，简直就是全不动！真是骗人的玩意儿！"

(3) 周明指着报纸说："比来比去，还是这种汽车不错，以后就买它吧。"艳红说："还汽车呢，数数你钱包里有几个钱，买个汽车轱辘还差不多。"

6. 我们几个**大眼儿瞪小眼儿**（dàyǎnr dèng xiǎoyǎnr）

比喻大家互相看着，不敢做某事或很吃惊。

People look at each other with surprise or fear.

(1) 莫虎说："谁去山下面去找找？我出钱，一人一百块。"人们你看我，我看你，大眼儿瞪小眼儿，没人敢下去，因为谁都不想为这几个钱去冒这个险。

(2) 看见父母吃惊的样子，他拿起那本书说："这都是科学卫生知识，干吗大眼儿瞪小眼儿的？了解男女之间的性心理有什么见不得人的？这本书是国家出版社正式出版的。"

(3) 他们几个大眼儿瞪小眼儿，好像看呆了，谁也不敢上前帮他。

7. 真是没**见**（jiàn）过**世面**（shìmiàn）

经历各种事情、情况，增长见识。

See the world; enrich one's experience.

(1) 王先生对我们说，年轻人应该出去闯一闯，见见世面，不能只是死啃书本。

(2) 老太太一辈子没出过小城，没见过什么世面，所以看见这两个外国人进来，慌得不知道做什么了。

(3) 林先生是见过世面的人，可遇到这种情景还是第一次，所以心里有点儿紧张，但脸上并没有表现出来，还是那么平静。

8. 简直像个**土包子**（tǔbāozi）

比喻没见过世面或穿着不时髦的人。

The person who is behind the times; bumpkin.

(1) 用马平的话说，小吴尽管进城好几年了，可基本上还是个"土包子"，要不，他这么大个人了，怎么看见女孩子还脸红呢！

(2) 那些穿着时髦的女同学都背后嘲笑她，说她是个土包子，不懂得打扮。

(3) 小丽一看见我，赶快把我拉到没人的地方，说："你这个土包子，参加这种晚会你怎么就穿这身衣服？"

9. **说一千道一万**（shuō yìqiān dào yíwàn），还是咱们中国菜好吃

不管怎么说，归根到底。

No matter what; in the final analysis.

(1) 经过这件事，我们算是明白了：说一千道一万，老师就是学生的上级，就得管我们。

(2) 我们一边喝酒一边感叹：说一千道一万，自己得有本事，靠别人是靠不住的。

10. **这是哪儿跟哪儿啊**（zhè shì nǎr gēn nǎr a）

表示说话人觉得某事或某人说的话没有道理或莫名其妙。

It means that something or someone's words are without reason or are unintelligible.

(1) 二嫂说："你说的那个'八九十枝花'，就是在骂我！"他说："那是一句诗，怎么是我骂你呢？"二嫂说："你知道我生了七个姑娘，就想要个儿子，你骂我再生还是姑娘，'八九十枝花'嘛！"他说："这都哪儿跟哪儿啊！"围观的人听了都大笑起来。

(2) 等老刘气哼哼地走了以后，小何说："这是哪儿跟哪儿啊！我刚从外面回来，什么也不知道就挨了一顿骂！"

(3) 天祥一进门就对奶奶说："太可惜了，奶奶，您没看见她。"奶奶抬起头，"你这是哪儿跟哪儿啊？我没看见谁就可惜了？"

11. 你这个**甩手掌柜**（shuǎishǒu zhǎngguì）日子过得真舒服

这里指在家里什么事也不管的丈夫。

Here it means husband who does not run household affairs.

(1) 因为知道大哥是个甩手掌柜，所以慢慢儿我们有什么事就都不问他，直接问大嫂了。

(2) 听到大伙儿笑他在家没有地位，老张并不生气，说："什么事都不用操心，当个甩手掌柜多省心啊。"

12. 家里大事小事都能**拿得起来**（ná de qǐlái）

在这里的意思是会做。

Here it means know how to do.

(1) 表哥才十九岁，可对农活已经懂得很多了，不论是播种，还是收割，都拿得起来，而且干得不错。

(2) 老院长说，希望我们年轻的学员，十八般武艺都拿得起来，能拉也能唱，没有小生就唱小生，没有须生就唱须生，这样才能算合格。

13. 在外边也**吃香的喝辣的**（chī xiāng de hē là de）

比喻吃好吃的，也比喻得到好处或利益。

Eat tasty food. It also means get benefit.

(1) 光北说："你们在城里吃香的喝辣的，哪儿知道我们在乡下过的苦日子。"

(2) 他妹妹嫁给县长以后，他跟着吃香的喝辣的，还有了个不错的工作。

14. 让人**笑掉大牙**（xiào diào dà yá）

比喻被别人嘲笑、笑话。

Ridiculous enough to make people laugh their head off.

(1) 李大姐说："你要是拿这样的礼物去，恐怕要让人家笑掉大牙的。"

(2) 他觉得要是穿着这样的布鞋去办公室，同事们一定会笑掉大牙的。

(3) 小张说："你看你这一封信里不下十个错别字，要是这样寄给人家，不让人家笑掉大牙才怪呢。"

15. 别老拿工作忙当**挡箭牌**（dǎngjiànpái）

比喻拒绝或推卸责任的借口，或起保护作用的人。

An excuse or a pretext or even a person who can protect somebody.

(1) 他不喜欢热闹，朋友拉他出去打牌、喝酒，他总是拿孩子小，走不开当挡箭牌，躲在家里看书。

(2) 工作没做好，老张就拿客观条件不好当挡箭牌，从不承认自己的工作能力不够。

(3) 小坡看爸爸要打他，赶快跑到奶奶身后，拿奶奶当挡箭牌，爸爸只好住了手。

16. 我想干，也**插不上手**（chā bu shàng shǒu）啊

不能参与进去。

Cannot have a hand in.

(1) 妈妈整天地忙，我老想帮助妈妈，可是插不上手，就只好等着妈妈，

等到她忙完了事，我才去睡。

(2) 爸爸没工夫管家里的人，他忙着筹备奶奶的八十大寿，写请帖，安排饭店，天顺插不上手，干脆去找朋友玩儿去了。

17. 你就会给我**戴高帽**（dài gāo mào）

比喻对人说恭维话。

Make a compliment; flatter.

(1) 老孙教我说："那个刘处长，最喜欢别人给他戴高帽，你去了以后就夸他有能力，水平高，这是他最爱听的，趁他高兴你再说你的事。"

(2) 齐放身边那几个人，一个劲儿地给他戴高帽，又一杯接一杯地给他敬酒，没一会儿他就醉了。

(3) 大姐说："什么'善解人意'、'心地善良'，你别给我戴高帽了，你一张口我就知道你要求我办事，有什么你就说吧。"

18. 在教育儿子上你别跟我**唱对台戏**（chàng duìtáixì）就行

比喻采取与对方相反的行为，用来反对对方或破坏对方所做的事。

Set oneself against; put on a rival show.

(1) 老袁说："上级规定不能请假去旅行，我要是同意你去，那不是跟上级唱对台戏吗?"

(2) 知道班长要组织全班同学去爬山，他就故意跟班长唱对台戏，要带着一帮人去游泳。

19. 小凡这孩子**翅膀硬了**（chìbǎng yìng le）

比喻有本事了，独立了。

Have ability; have skill; can do something independently.

(1) 大妈说："这几个孩子，翅膀硬了，管不了了，我真是拿他们没办法。"

(2) 这些人开始的时候都在大公司打工，慢慢儿积累经验，翅膀硬了以后就自己去开公司。

20. 我这一片**好心**（hǎoxīn）全让他**当成驴肝肺**（dàngchéng lǘgānfèi）了

比喻出于好心做某事却被别人认为是出于恶意。

Take a good heart for the donkey's liver and lung: misunderstand someone's goodwill for ill intent.

(1) 表妹回来以后很不满，说："赵姨是不是以为我嫁不出去呀？干吗老要给我介绍男朋友?"我说："赵姨多热心啊，跑前跑后地给你帮忙，你怎么把人家的好心当成驴肝肺了？”

(2) 听见我说衣服没洗干净，妈妈说：“我这好心倒成了驴肝肺了，好吧，以后你的衣服你自己洗。”

21. 你的态度和方法太**成问题**（chéng wèntí）

有缺点、有困难等。

Have problem; have difficulty.

(1) 人员和场地我可以想办法，没有问题，现在最成问题的是钱，上哪儿借那么多钱啊？

(2) 这个人在和别人交往上很成问题，他从来都是只想着他自己，什么事都只为自己打算。

(3) 老王说：“就去我家吧，吃和住都不成问题。”

22. 可不能拿孩子当**出气筒**（chūqìtǒng）啊

发泄怒气的对象。

A person on whom somebody's anger is wrongly vented.

(1) 刘四在外面受了气，回到家就打小刚，把小刚当出气筒。

(2) 他在家里生了一肚子气，在经理那儿又挨了批，所以在办公室对我们又叫又嚷，我们几个成了他的出气筒了。

23. 你得好好改改你的**家长作风**（jiāzhǎng zuòfēng）

不民主，一个人说了算，别人必须绝对服从。

A high-handed way of dealing with people; patriarchal behaviour.

(1) 老张也许是当官的时间长了，大家都顺着他，所以家长作风越来越厉害，年轻的同事都对他很不满。

(2) 王校长在会上说，我们国家有尊师的传统，但老师跟学生是平等的，老师不能有家长作风，要充分尊重学生。

练　习

一、选用合适的词语填空：

出气筒　挡箭牌　样子货　土包子　家长作风　见过世面　笑掉大牙
甩手掌柜　　翅膀硬了　　大眼儿瞪小眼儿

(1) 奶奶不同意我当模特，说：“一个女孩子家穿那么少，在台子上走来走去，多难看哪！这要是让亲戚朋友知道了，还不得________！”

(2) 一个朋友告诉我说：“一些小店里卖的皮鞋非常便宜，鞋的外表跟大商店里卖的看上去差不多，不过，谁买谁上当，那都是些________，穿不到一个月就得扔。”

(3) 这次选举李德平的票数很少，我想是因为大家都很不满意他的________，平时一起干什么事都得听他的，他错了也不许我们提意见，你说，哪有这样的事啊？

(4) 还没说话他的脸先红了，他说：“我是从小地方来的，没________，有说错的地方请大家多指点。”

(5) 刘大妈看了看表说：“都快十点了，小刚怎么还不回来？跟他说过多少次了，别这么晚回来，他就是不听。”刘大爷说：“这孩子，________，越来越不听话了。”

(6) 听见老张说又要去打牌，老张的爱人不高兴了，说：“你真是个________，家里什么事都不管，孩子你也不管，就知道打牌，以后你就天天打牌吧，连班也别上了。”

(7) 他们当时只是吓唬吓唬大海，没想到大海真的来了，而且还带来了几个强壮的小伙子，他们几个________，一时不知道该怎么办了。

(8) 以前，她老是拿妈妈身体不好需要人照顾当________，不愿意结婚，可现在妈妈不在了，她该怎么说呢？

(9) 我悄悄地问小乔：“这些瓶瓶罐罐的都是做什么用的？”小乔笑着说：“这些都是化妆品，各有各的用途，你真是个________，连这个也不知道！”

(10) 大哥因为谈恋爱的事不顺利，整天沉着脸，还常常拿我和妹妹当________，好几回妹妹都被气哭了。

二、用指定词语完成句子：

(1) A：我们都知道你是个热心人，把朋友的事当成自己的事，有人说你就是个活雷锋。

B：得了，________，有什么事就说吧。（戴高帽）

（2）A：昨天我有事，没去看比赛，结果怎么样？你们进入前三名了吧？
B：________________，连前六名都没进。（还 A 呢）

（3）妻子：你今天看见隔壁马兰了吧？她穿上那套衣服以后，看上去年轻了五岁，是不是？
丈夫：她呀，________________。（不敢恭维）

（4）A：明天一早就出发，最好今天就把行李准备好。你准备得怎么样了？要不要我帮帮你？
B：算了算了，还是我自己来吧，________________。（帮倒忙）

（5）妻子：以前你挺愿意陪我逛商店的，现在怎么求你你都不去，是不是你嫌我老了？
丈夫：哎哟，________________，我实在是没有时间哪。（哪儿跟哪儿啊）

（6）A：我也早就想帮他介绍个女朋友，看来看去，我觉得你姐姐跟他挺般配。
B：不行，我姐姐得找个知识分子，你________________。（打 A 的主意）

（7）A：你们学校的小张老师怎么样？听说他是教数学的？
B：对，他是教数学的，可________________。（拿得起来）

（8）A：小丽今年刚十四岁，又要上学，又要照顾奶奶，真不容易啊。
B：可不，这孩子真能干，________________。（拿得起来）

（9）A：实际上，技术和设备都好说，关键是有没有合适的人和足够的钱。
B：你放心，________________。（成问题）

（10）A：经理说的那个计划不合理的地方太多了，我这个计划比他的好，我去跟他谈谈。
B：你最好别去，________________。（唱对台戏）

第十七课

此一时彼一时

（张强跟好朋友云飞在谈论足球比赛）

张强：明天就比赛了，这回北安队在家门口儿赛，准能打个**翻身仗**。

云飞：我看够戗，他们的水平**在那儿摆着呢**，跟别的队差得太远了，不是一**星半点儿**，这水平不是说上去就上去的。你也看过他们训练，**三天打鱼，两天晒网**的，一点儿都不认真，队员的基本功也不好，不谦虚地说，有的还不如我踢得好呢。他们**哪儿是人家的对手**啊。就说上次吧，一开场就**栽**了个大**跟头**，连半决赛都没进就**打道回府**了，这样的队能有什么大出息！

张强：**此一时彼一时**，也许这次就能**爆**出个**冷门**呢，他们可有大球星啊。

云飞：我看没什么戏，他们队员之间的配合太差劲，要是教练聪明，就应该在这上面好好做**做文章**。我倒觉得东山队很可能会成为一匹黑马。

张强：这个队技术倒是不错，但愿这次他们别又在赛场上**大打出手**，上次他们闹得真是太出格了。没想到，你会看好这样的球队。

云飞：他们今年花大价钱一下子进了三个外援，都是在世界上小有名气的。他们早就**放出风儿来**说，要**给**别的队点儿**颜色看看**，**报**上次的**一箭之仇**。

张强：放空炮谁不会呀？要有真本事就到球场上去**见个高低**。

云飞：那倒是，鹿死谁手，明天就能**见分晓**了。

张强：哎，你明天上我家来吧，俩人一块儿看热闹，一个人没意思。

云飞：我可不敢去了，上次去你家看球，你姐姐把**脸拉**得**那叫长**，我坐在那儿难受得要死，多精彩的球赛也看不痛快。我还是踏踏实实地在家看吧，**看**别人**的脸色**太难受。

张强：你别多心，她不是对你。你不知道，我姐是个铁杆儿的电视剧迷，那次为了看球，我给她说了一大车好话，她就是**不买我的账**，后来我们俩只好打赌，结果，她不走运，输了，没看上那个什么电视剧，你想她的脸色能好看吗？就因为我们俩老为了看电视打架，我妈一气之下又买了个小的，让我们各看各的，**井水不犯河水**，现在我可以痛痛快快地想看什么就看什么了。

云飞：真的？那太好了。其实我要想在家看球，也费劲着呢，我妈也是逢电视剧必看，我和我爸我们这俩球迷常常**败在**我妈**的手下**，我们抢不过她。

注　释

1. 谦虚（qiānxū）：虚心，不自满。（modest）
2. 黑马：比喻（比赛中）让人没想到的优胜者。
3. 出格：超出常规、范围。
4. 外援：这里指本国运动队中来自外国的运动员。
5. 鹿死谁手：比喻最后胜利属于谁。
6. 铁杆儿：比喻坚定的、可靠的，常说“铁杆儿球迷”。
7. 打赌（dǔ）：拿一件事情的真相如何或能否实现赌输赢。（bet）
8. 逢（féng）：遇到，遇见。

例　释

1. 准能**打**（dǎ）个**翻身仗**（fānshēnzhàng）

比喻彻底改变原来的落后、失败、不利等情况。

Reverse one's fortunes (from bad to good); bring about drastic improvement.

(1) 我们厂前几年一直不景气，都快关门了，可王厂长来了以后，开发了个新产品，不到一年就打了个翻身仗，工人们心里高兴，干起活来都不知道累了。

(2) 虽然上次比赛成绩不太理想，但他们没有失去信心，现在他们每天都刻苦地训练，要在今年的运动会上打个翻身仗。

2. 水平**在那儿摆着呢**（zài nàr bǎizhe ne）

某种情况很清楚，很明显。

Something is very clear or is obvious.

(1) 不用我多说，事实在那儿摆着呢：没有大伙儿的支持，什么也干不成。

(2) 道理在那儿摆着呢：你不去争取，机会就是别人的，你还有什么可考虑的。

3. 不是**一星半点儿**（yìxīngbàndiǎnr）

非常少。

A tiny bit; a very small amount.

(1) 我对卖东西的人说："要是差一星半点儿我就不回来找你了，可我买三斤苹果，你竟然少给我半斤，这也太不像话了。"

(2) 几个人认真地把教室打扫了一遍，现在桌子上、地上都干干净净的，连一星半点儿的尘土也没有了。

4. **三天打鱼，两天晒网**（sān tiān dǎ yú，liǎng tiān shài wǎng）

比喻做事不能坚持、持久。

Go fishing for three days and dry the nets for two: lack perseverance; do something only discontinuously.

(1) 赵老师对他说："打太极拳重要的是坚持，得天天打，不能三天打鱼，两天晒网，你要是不能坚持，不如不学。"

(2) 小王开始那几年还好，天天按时来办公室上班，可后来就不行了，上班是三天打鱼，两天晒网，还到处骗钱。

5. 他们**哪儿是**（nǎr shì）人家**的对手**（de duìshǒu）啊

不是（某人）的对手　水平或能力不如某人。

(One's level or ability) is not as good as someone else's.

(1) 他从七八岁就开始练游泳了，还参加过全国的比赛呢，我哪儿是他的对手啊？

(2) 云芳的个子小，力气弱，要说动手打架，她不是马大姐的对手。但是，她的嘴厉害，马大姐一句话没说完，她十句话都出来了。

6. 一开场就**栽**（zāi）了个大**跟头**（gēntou）

比喻遭受失败、挫折或犯错误。

Suffer a setback.

(1) 他平时太骄傲，谁的话也听不进去，所以他这回栽这么大的跟头，一点儿也不奇怪。

(2) 虽然说事情并不大，只是损失了一点钱，可老张还是觉得栽了个跟头，在朋友们的面前丢了面子。

7. 连半决赛都没进就**打道回府**（dǎdào huí fǔ）了

回家。

Return home.

(1) 过年过节的时候，妈妈都叫爸爸去看望一下亲友，爸爸就带上礼物去，可每次都是没有多大一会儿，他便打道回府。我妈妈总是说："哟！怎么这么快就回来了？"

(2) 新萍想起一份资料忘在办公室，就去办公室取。来到办公楼一层才发现电梯在检修，停止使用，新萍就打道回府了，因为她的办公室在十九层呢。

8. **此一时彼一时**（cǐ yìshí bǐ yìshí）

意思是现在的情况跟过去不一样了，情况有了变化。

It means circumstances have changed with the passage of time; things are now different from what they were.

(1) 江丽摇了摇头说："你那些观点在十年前也许有人赞同，可此一时彼一时，现在的人，更重视自己，把自己放在第一位。"

(2) 老刘的爱人不同意："前几天你还骂人家呢，现在又去求人家帮忙，怎么张得开口啊？"老刘笑着说："此一时彼一时嘛，当初骂他是对的，现在求他也没什么不可以。"

9. 也许这次就能**爆**（bào）出个**冷门**（lěngménr）呢

出现让人没想到、没预料到的结果。

There is an unexpected result (of some competition).

(1) 这次比赛爆了不少冷门，其中最大的冷门就是去年的冠军今年竟然被新手打败了，这可是赛前谁也没想到的。

(2) 选举结果大出人们的预料，得票最多的不是厂长和书记，而是工会主席老孟，这可以说是爆了个冷门。

10. 就应该在这上面好好做**做文章**（zuò wénzhāng）

想办法、想主意。

Think of a way (of doing something).

(1) 老工程师说："根据咱们厂的具体情况，我觉得咱们应该在投资少见效快的项目上多做做文章。"

(2) 不少企业在管理水平上还很不够，存在很多不完善的地方，应该在这方面多做做文章。

也可以指借某件事来引申、发挥。

It also means make a big deal out of something.

(3) 可是，有一些人拿少数工人的罢工闹事大做文章，他们的目的就是要搞垮我们。

(4) 他知道，如果今天他去吃这顿饭，肯定会有人拿这件事来做文章，说他只知吃喝。

11. 但愿这次他们别又在赛场上**大打出手**（dà dǎ chū shǒu）

打人或互相殴斗。

Beat somebody or brutally attack one another.

(1) 因为人太多了，结果除了头几排的人以外，后面的人根本看不见台上的演出，于是都往前挤，跟前面的人争吵，最后竟然大打出手，闹得戏演不下去了。

(2) 看到那几个人对一对老人大打出手，旁边的人都气得不得了。

12. 他们早就**放出风儿来**（fàngchū fēngr lai）说

透露出某种信息。

Spread information or let somebody know.

(1) 曹家的人早就放出风儿来说，他们家有亲戚在公安局工作，他们谁也不怕。

(2) 办公室的人放出风儿来说，虽然现在还没有正式文件，但是钱是肯定要涨的，只是早晚的问题。

13. 要**给**（gěi）别的队点儿**颜色看看**（yánsè kànkan）

给（某人）颜色看　要让某人看看厉害或惩罚、教训某人。

Show somebody up; teach someone a lesson.

(1) 小王说："看来小崔是成心找咱们的麻烦，跟咱们作对，我现在就去找他，给他点颜色看看！"

(2) 他嘿嘿一笑，说：“开除吴顺，就是要给他们一点颜色看看，让他们知道到底谁厉害。”

14. **报**（bào）上次的**一箭之仇**（yí jiàn zhī chóu）

报仇。

Take revenge.

(1) 乔师傅吃过晚饭就把王老师拉来，要跟他下两盘棋，说是报前天连输两盘的一箭之仇。

(2) 他一上台就免去了老杨的职，报了儿子被开除的一箭之仇，这件事在全公司引起了不小的震动。

15. 要有真本事就到球场上去**见个高低**（jiàn ge gāodī）

比一比看谁的水平高或技术好，或谁更厉害。

Compete to see who is better; pit themselves against one another.

(1) 听见有人说这场比赛不公平，他站起来，大声说：“谁说不公平，咱们就到外面去见个高低。”

(2) 赛完这一场球后，两个队又约好后天下午三点，到学校操场去再见个高低。

16. 明天就能**见分晓**（jiàn fēnxiǎo）了

知道事情的结果或底细。

Find out the answer or get to the bottom of a matter.

(1) 叶新说：“你再耐心等几天，小张不是说了，这几天就见分晓了，到时候再走也不迟。”

(2) 我对他说：“我现在不想和你吵，到底咱们俩谁对，要不了多久就能见分晓了。”

17. 你姐姐把**脸拉**（liǎn lā）得那叫**长**（cháng）

拉长脸　形容人生气、不高兴的样子，也指生气。

Pull a long face; look displeased; put on a stern expression.

(1) 看见桌子上没有酒，这位先生不乐意了，拉长脸，坐在一边，一句话也不说。

(2) 听哥哥说得越来越不像话，老二把脸拉得长长的，没出声，可他的媳妇听不下去了。

18. 你姐姐把脸拉得**那叫**（nà jiào）长

那叫 + 形容词　这个格式表示程度很高。

Very; extremely.

(1) 张军头一个爬上了墙头，走得那叫一个稳，就像个高空走钢丝的演员，下面的孩子都给他鼓起掌来。

(2) 我在那儿住了一个月，那叫热，热得我吃不下饭，睡不着觉。

(3) 赵师傅说："累了一天，回到家，叫老伴儿炒点儿下酒菜，听着京戏喝二两，那叫美。"

19. **看**（kàn）别人**的脸色**（de liǎnsè）太难受

看（某人）的脸色　根据某人的态度来做什么事。

Act upon other people's expression.

(1) 小沪说："那你打算怎么写?"苗青青说："自然看主任脸色行事了，主任说对，咱们就往对写，主任说错，咱就往错写。"

(2) 到了吃饭的时候，姐弟俩更得看着舅妈的脸色伸筷子，那筷子决不敢伸向有肉的盘子。

(3) 很快他们都学会了看老板的脸色说话，老板说好他们就说不坏，老板说不好他们就说糟糕透了。

20. 她就是**不买**（bù mǎi）我**的账**（de zhàng）

不买（某人）的账　对某人不尊敬、不服从、不承认。

Do not show respect for somebody.

(1) 三个男人，谁都认为自己选中的地方值得去，喝啤酒喝得面红耳赤，谁都不买谁的账，最后只好各走各的。

(2) 他经常在我面前吹嘘，如何如何"有办法"，就等着我向他求告，到时候，他就会摆出各式各样的面孔，说出各式各样的话来取笑我。可是我偏偏不买他的账。

(3) 哥哥责备妹妹，怪她不把肉放到冰箱里。谁知妹妹一点儿不买他的账，把责任都推给了嫂子，说嫂子是最后走的。

21. **井水不犯河水**（jǐngshuǐ bú fàn héshuǐ）

各做各的，相互不发生关系，不互相影响，不互相侵占。

Well water does not intrude into river water: I will mind my own business, you mind yours.

(1) 卓林说："你难道不知道他们吵架是为你?"水莲说："这就更奇怪了，

我跟他们井水不犯河水，干吗要把我缠进去？”

(2) 这些人很抱团儿，李三惹不起他们，他们也不妨碍李三的事，所以双方井水不犯河水，倒也一直相安无事。

22. 我和我爸我们这俩球迷常常**败在**（bài zài）我妈**的手下**（de shǒuxià）

败在（某人）的手下　被某人打败。

Be defeated by somebody.

(1) 李将军说：“我们不是败在罗贵手里，他没有什么军事头脑，我们实际上是败在他的两位大将手下了。”

(2) 我打了那么多场比赛，没想到今天竟然败在一个孩子的手下，这让我很不甘心。

练　习

一、理解下面加线的词语：

(1) 下过雨以后，你再来看看我们的葡萄园吧，那叫好看！白的像白玛瑙，红的像红宝石，紫的像紫水晶，黑的像黑玉。

(2) 妻子非让我直接去找那家幼儿园的园长，我只好说：“好吧，我去找人家说说看吧，不过，我也不是什么领导、大干部，谁知道人家会不会买我的账，你也别抱太大的希望。”

(3) 我们进行了两次实验都失败了，一直反对我们搞实验的张副厂长昨天拿这两次失败大做文章，说我们是在浪费时间浪费钱，要我们马上停止实验。

(4) 林长清笑着说：“那年咱们一块儿喝酒，你把李老师大骂了一顿，说以后永远不见李老师！你还记得吗？现在你倒夸上李老师了。”小高被他说得有点儿不好意思，说：“此一时彼一时啊，当初要不是李老师严格要求我，我哪能有今天。”

(5) 马主任来了没几天，他就被调出了会计室，他知道，以前因为钱的事他得罪过马主任，马主任肯定要报这一箭之仇，所以并不感到很突然。

二、选用合适的词语填空：

见分晓　放空炮　放出风儿　一星半点儿　大打出手　鹿死谁手

打道回府　井水不犯河水

(1) 韩冬对明明说："你在这儿等着，我现在就去给你买遥控车，这次决不＿＿＿＿＿＿＿＿。"

(2) 小东和强强商量如何报仇，没想到说的话都被外面的爱社偷听到了，爱社气得不得了，跑进屋来向他们俩＿＿＿＿＿＿＿＿，虽然小东他们是两个人，但却打不过粗壮的爱社。

(3) 他们商量了半天，决定去小吃城吃点儿东西，下了楼，来到汽车站，不知道怎么回事，等车的人得六七十人，杨阳一看这么多人，就想＿＿＿＿＿＿＿＿了，说，挤一身汗去吃小吃，还不如回去煮方便面吃呢。

(4) 兄弟两个人为了那块地闹翻了，决定分家，几天以后，一堵墙把院子一分为二，两个人＿＿＿＿＿＿＿＿，各过各的了。

(5) 我们在给病人做手术的时候，必须全神贯注，不能有＿＿＿＿＿＿＿＿＿＿的马虎，因为病人的生命就在我们的手上。

(6) 小顺说："三班的鞭炮都买来了，这次他们班赢定了，咱们班是完了。"张峰说："还有十分钟，＿＿＿＿＿＿＿＿还难说呢，我看他们是高兴得太早了。"

(7) 事情进展得差不多了，要不了多久就能＿＿＿＿＿＿＿＿了。

(8) 听说我们要去总公司反映情况，王厂长就＿＿＿＿＿＿＿＿说，他谁也不怕，总公司的领导都认识他，都是他的朋友。

三、用指定词语完成下面对话：

(1) A：这首乐曲不是练了很长时间了吗？小赵怎么还是老弹错？
　　B：他呀，＿＿＿＿＿＿＿＿。（三天打鱼，两天晒网）

(2) A：你知道吗？青年队把国家队打败了！
　　B：真的？＿＿＿＿＿＿＿＿。（爆冷门）

(3) A：你估计咱们班能不能赢？
　　B：我看比较困难，＿＿＿＿＿＿＿＿。（不是A的对手）

(4) A：他网球打得怎么样？
　　B：不错，昨天我跟他打了两局，＿＿＿＿＿＿＿＿。（败在A的手下）

（5）A：你舅舅家就在城里，你怎么不住在舅舅家，非要自己租房住？是不是他对你不好？

B：舅舅对我很好，可是舅妈很厉害，________________。

（看 A 的脸色）

（6）妈妈：你跟他们说以后每个月要多交点儿饭费，他们怎么说？

爸爸：他们 ________________，什么也没说。（拉长脸）

（7）弟弟：哥哥，小刚他们老骂我，说我是个大笨蛋，什么也不会。

哥哥：好啊，他们敢骂你？你等着，________________。（给 A 颜色看）

（8）A：你去告诉大刘，让他把罚款赶快交来。

B：还是你去吧，我去也是白去，________________。（不买 A 的账）

第十八课

老坐着不动可不是事儿

（老赵正在跟邻居老高聊天儿）

老赵：老高，一看你拿酒瓶就知道你有高兴的事，对不对？是不是你的股票又涨了？

老高：真让你说着了！怎么样，晚上咱们老哥儿俩一块儿喝两杯？

老赵：好啊，**送上门**来的酒还能不喝？你现在行啊！炒股高手，大名远扬，你不知道，一提起你大伙儿都竖大拇指。什么时候你也教教我。

老高：别开玩笑了！你忘了我**出洋相**的时候了？我这都是**瞎猫碰死耗子**碰上的。说起来可笑，昨天一个小伙子追着我，大爷**长**大爷**短**的，非说要跟我取取经，我哪儿有什么经啊？他要问喝酒有什么“经”，我这个老酒鬼倒能给他说两句。

老赵：是啊，喝酒当然有“酒经（精）”了。哎，说到这儿，我想劝你两句，你的心脏不好，酒还是少喝点儿吧，喝酒对心脏没有好处，你老伴儿一说起你的病就急得不得了。

老高：我老伴儿这个人哪，**听见风就是雨**，医生的话不能都信。前两天我和大民出去赶上了雨，淋得**落汤鸡**似的，大民回来感冒好几天，我呢，什么事也没有。我的身体我知道，离**上西天**还早着呢。跟你说吧，这酒能治病，我要是不喝酒了，病就该都来了。

老赵：你呀，净跟人家医生**唱反调**。不过，你还是少喝点儿吧，还有，你成天老坐着不动可**不是事儿**，瞧你这**将军肚**，得多运动了。我们正学老年健身操呢，有专门的老师教，你也来吧。

老高：我这笨手笨脚的去学那个操，那不是**赶着鸭子上架**吗？

老赵：一点儿也不难，跟扭秧歌差不多。我记得，以前你扭秧歌可是全地区**数得着**的哟。

老高：别翻三十年前的**老皇历**了，现在老了，手脚**不听使唤**了，要是跳不好，**砸**了你们的**牌子**怎么办？再说我这么胖，跳起来得多难看呢。

老赵：那怕什么？锻炼身体嘛，又不是去表演。你没看见有几个小脚老太太也在学呢吗？你怎么也比她们强吧？

老高：行，那我就去试试，省得在家听我老伴儿唠叨。

老赵：不过，咱们**丑话说在前头**，你不能半路**开小差**，得坚持到底。

老高：没问题。哎，老王去吗？他去我就不去了，我怕碰上那个**事儿妈**，唠唠叨叨地烦人。

老赵：他爱说什么就说什么，你别听不就行了？你这个**死脑筋**。

老高：我死脑筋？昨天我还听你们家老二说你是个**铁公鸡**，他结婚你都舍不得花钱，你那钱留着干吗？

老赵：我给了他两万，还嫌少？我又没有**摇钱树**，要多少钱有多少钱，唉，提起这事我就生气，儿子结婚我是得花点儿钱，可他们一张口就要几万几万的，我哪儿有啊。

老高：现在的孩子**口气都大**着呢，小小年纪花起钱来跟流水似的，你甭跟他们生气。

老赵：我和老伴儿商量好了，他们爱怎么闹就怎么闹，**由他去**，他们的事我们不管，也管不了，我们自己的身体要紧。

老高：这就对了！

注　释

1. 股票：用来表示股份的证券。（share；stock）
2. 高手：技术特别高明的人。
3. 取经：比喻向取得成绩的人吸取经验。
4. 酒鬼：过分喜欢喝酒的人。

5. 笨手笨脚：形容动作或手脚不灵活。
6. 秧（yāng）歌：中国北方的一种民间舞蹈，跳这种舞叫扭（niǔ）秧歌。
7. 唠叨（láodao）：说话没完没了。

例　释

1. **送上门**（sòng shàng mén）来的酒还能不喝

送到家，也指主动提供。

Send something to someone's home. It also means to offer something or provide an opportunity.

(1) 有战士来报告说，敌人已经过了县城，往东来了。老罗说："他们来得正好，我正愁找不到他们的主力，他们自己倒送上门来了。"

(2) 我对小丽说："他一直对你不怀好意，你现在去找他，那不是把自己送上门去了吗？"

(3) 听说明天是丽丽的生日，小张对我说："你不是想让丽丽对你有个好印象吗？这可是送上门来的好机会啊，你买个她喜欢的礼物送给她，她不就喜欢你了吗？"

2. 你忘了我**出洋相**（chū yángxiàng）的时候了

比喻出丑、丢面子。

Make an exhibition of oneself; make a scene.

(1) 记得第一次上台表演的时候，我一紧张把歌词忘了，站在舞台中间怎么也想不起来，真是出了个大洋相。

(2) 舞蹈队还缺一个人，有人就提议让李大嫂参加，李大嫂说："瞧我这身材，哪像是跳舞的呀？你们别出我的洋相了，快换别人吧。"

3. 我这都是**瞎猫碰死耗子**（xiā māo pèng sǐ hàozi）碰上的

瞎猫碰上死耗子　比喻非常偶然。

A blind cat caught a dead rat: by chance; by accident.

(1) 石萌萌挺谦虚，说："我哪是什么作家啊，那篇小说能登出来完全是瞎猫碰着了死耗子，我自己是什么水平我自己知道。"

(2) 他想，必须得出去活动，不能老闷在屋子里瞎想，只要出去乱碰，就是瞎猫也会碰着死老鼠，那么多公司、工厂，不愁找不到个工作。

4. 大爷**长**（cháng）大爷**短**（duǎn）的，非说要跟我取取经

A 长 A 短　表示虽然不认识或不熟悉，可是非常亲热地称呼某人为 A，如“爷爷”、“奶奶”、“大哥”、“大姐”等。

The person does not know somebody well, but he describes him as A affectionately, using for example “爷爷”, “奶奶”, “大哥”, “大姐”.

(1) 卖东西的女孩一看见我，马上大姐长大姐短地忙着给我介绍，我看她那么热情，不好意思什么也不买就走。

(2) 孩子们来了以后，围在老人身边，爷爷长爷爷短的，把老人乐得合不上嘴。

(3) 楚大妈说：“小戴医生医术好，人也好，每次看见我都大妈长大妈短的，比亲闺女还亲。”

5. 我老伴儿这个人哪，**听见风就是雨**（tīngjian fēng jiùshi yǔ）

比喻听见什么马上就相信。

Readily believe; believe everything one heard.

(1) 王新英说：“她也叫桂芬？那一定是我的姐姐了，我找妈妈和姐姐，她找妈妈和弟弟，没错，就是我姐姐！”海燕说：“新英，沉住了气！这是一项细致、复杂的工作，不能听见风就是雨！还需要做调查。”

(2) 听说工厂要关门，人们都嚷嚷起来，还传出了女人的哭声，老张站起来说：“你们怎么听见风就是雨啊？谁说工厂要关门？我这个主任怎么都不知道？”

6. 淋得**落汤鸡**（luòtāngjī）似的

形容浑身湿透像掉在热水里的鸡一样。

Like a drenched chicken; soaked through.

(1) 那天晚上，刚下车，就下起了雨，我们俩谁都没带伞，结果到了家跟落汤鸡似的。

(2) 我出门遇上了一场雨，淋成了个落汤鸡，回来就有些发烧，在家躺了三四天才好。

(3) 有一天，小伙子正在楼底下等人，一盆水从天而降，把他浇成了个落汤鸡。

7. 离**上西天**（shàng xītiān）还早着呢

意思就是死。

Go to western paradise (Buddhist reference); die.

(1) 如果老福在这里，几分钟内那只鸡就会上西天去，可我拿着刀，就是不敢动手。

(2) 张诚知道，自己这一拳下去，就能送他上西天，就能报了杀父之仇，可他脑子里又出现了十年前的一幕，他放下了拳头。

8. 你呀，净跟人家医生**唱反调**（chàng fǎndiào）

比喻持相反的观点或采取相反的行动。

Sing a different tune; deliberately speak or act contrary to.

(1) 刘先生口音很重，学生都不愿意上他的课，再加上他老跟学校唱反调，所以校长就想把他调走。

(2) 我劝他改改脾气，别老和大伙儿唱反调，弄得大伙儿都讨厌他。

9. 你成天老坐着不动可**不是事儿**（bú shì shìr）

不正常或不是解决问题的办法。

Be a bad way of doing things.

(1) 马小锐听同学说，老师说了，如果再不去上课，学校就要给他处分，他也觉得这么下去不是事儿，他明天必须上学。

(2) 赵卫说："老这么东躲西藏的也不是事儿啊，咱们得找个办法出去。"

(3) 两个人谁都不爱做饭，就天天去饭馆吃，刚过半个月，俩人的工资就花得差不多了，这时俩人才觉出老这么出去吃不是事儿，得有一个人做饭，可谁做呢？

10. 瞧你这**将军肚**（jiāngjūn dù），得多运动了

开玩笑地指（男人）肚子大、胖。

General's belly: it means jokingly that a man is fat and has a big belly.

(1) 我们见面后，发现老马变化最大，刚四十出头，将军肚就挺起来了。

(2) 午饭过后，老张端着茶杯，挺着他的将军肚，走进了办公室。

11. 那不是**赶着鸭子上架**（gǎnzhe yāzi shàng jià）吗

比喻勉强人去做其不能做或不愿意做的事。

Make somebody do what is entirely beyond him or against his will (just as drive a duck onto a perch).

(1) 妈妈在旁边说："你爸爸平时唱歌都唱不好，哪儿上得了台呀，你们别赶鸭子上架了。"

(2) 我们都跑过去，把张老师和他爱人推到中间，非要他们俩表演一段蒙

古舞蹈，张老师笑着说："你们可真会赶鸭子上架啊。"

12. 以前你扭秧歌可是全地区**数得着**（shǔ de zháo）的哟

有名的、排在前几位的。

Be reckoned as good or famous.

(1) 牛老头是我们这个县城数得着的人物，他开过酒馆、茶庄、加工厂，赚了不少钱。

(2) 我们厂在全国也是数得着的，我们的产品现在已经出口到了二十多个国家。

(3) 这姑娘从小就爱踢足球，在我们这儿是数得着的好苗子，十几岁就进了国家队。

13. 别翻三十年前的**老皇历**（lǎohuángli）了

指过去、历史。

Calendar of the past: old history; obsolete practice.

(1) 他不愿意说起他在战场上的英雄事迹，说那都是老皇历了，都过去了。

(2) 小英说："奶奶，都什么年代了，您还翻您的老皇历，现在连电脑红娘都有了。"

14. 现在老了，手脚**不听使唤**（bù tīng shǐhuan）了

不受控制或不灵便。

Be unable to do something.

(1) 保庆的手有点儿发抖，他想说点什么，可是舌头不听使唤，说不出话来。

(2) 卫大嫂说："骑三轮车跟骑自行车不是一个劲儿，特别是车把不听使唤！看着人家骑挺容易，可我一上去呀，一下子就朝着墙撞去了！"

(3) 听见警报响了，二奶奶坐在椅子上，想站起来，可是腿软得不听使唤了，怎么站也站不起来。

15. 要是跳不好，**砸**（zá）了你们的**牌子**（páizi）怎么办

毁坏已有的好的声誉。

Lose one's reputation.

(1) 厂长说："我们好不容易才创出了这个牌子，不能因为质量问题砸了自己的牌子，所以这批有问题的产品全都收了回来。"

(2) 因为假酒事件，我们的好酒都卖不出去了，几十年的牌子就这么砸了。

(3) 别说名牌学校，那些普通学校对教师的要求也很高，他们都不希望由于教师水平低砸了自己学校的牌子。

16. 不过，咱们**丑话说在前头**（chǒuhuà shuō zài qiántou）

先指出不利的因素或不好的后果，警告、提醒某人。

Point out the consequence in advance; warn somebody (looking out for one's own interests).

(1) 李队长站起来说："大家都知道了，村子里最近老丢东西，现在当着大伙儿的面儿，我把丑话说在前头，谁要再干这种见不得人的事，让我抓住了，我就砍断他的手。"

(2) 平涛说："咱们是一块儿长大的好朋友，不过今天我把丑话说在前面，建国，你要是干违法的事，可别怪我对你不客气。"

17. 你不能半路**开小差**（kāi xiǎochāi）

做某事中途逃脱。

Abscond; desert (an army).

(1) 会议没什么重要内容，我借上厕所的机会开了小差，跑回宿舍睡了一觉。

(2) 平时小组讨论的时候，经常有人开小差，今天看见张老师来了，谁都不敢动了。

也可以指脑子不集中，想别的。

It also means be absent-minded.

(3) 这种阶梯教室能坐一百多人，所以上课的时候我的脑子特别容易开小差，尤其是上张老师的课。

18. 我怕碰上那个**事儿妈**（shìrmā）

喜欢挑别人毛病或非常挑剔的人。

Someone who is always complaining.

(1) 我们院子里的刘大妈是个典型的事儿妈，什么事她都要管管，一点儿亏都不吃。

(2) 一路上，她一会儿嫌车里空气不好，一会儿嫌热，我们都特别烦她，后悔跟个事儿妈坐在了一起。

(3) 小齐年岁不大，可特别事儿妈，她要是在，绝对不让我们在办公室里吃东西。

19. 你这个**死脑筋**（sǐnǎojīn）

比喻思想不灵活、不改变。

One-track mind.

(1) 不管大兴怎么说，李老汉就是不让他去，气得大兴在心里直骂爸爸是个死脑筋。

(2) 回家以后，妻子一个劲儿地埋怨他是个死脑筋，看见人家不高兴了也不会换个说话的方式。

20. 昨天我还听你们家老二说你是个**铁公鸡**（tiěgōngjī）

比喻很吝啬或节俭，含有贬义。

Iron cock：miser.

(1) 他们在背后都叫老张是铁公鸡，因为他从来不请客，可别人请客每回都缺不了他。

(2) 小张笑着说："他简直就是个铁公鸡，我说了半天，他还是一分钱也不给。"

(3) 大姐说她婆婆是个铁公鸡，平时连个鸡蛋也舍不得吃，这会儿让她拿一千块钱出来怎么可能呢？

21. 我又没有**摇钱树**（yáoqiánshù）

比喻可以得到大量钱财的人或物。

Trees that sheds coins when shaken：a ready source of money.

(1) 女儿有了点儿名气后，这父母俩就把女儿当成了摇钱树，拉着女儿到处去演出，根本不管女儿是怎么想的。

(2) 大妈羡慕地说："瞧人家时装模特，在台上走两圈就能挣大笔的钱，谁要是有这么个女儿，就等于是有了一棵摇钱树啊！"

22. 现在的孩子**口气**（kǒuqì）都**大**（dà）着呢

说话的气势很大。

High-sounding sentiments；look down on small things (in speech).

(1) 小王现在跟以前可不一样了，说到钱，张口就是几万，十几万，口气大得很。

(2) 老张说："三天完成？你的口气也太大了，这可不是少数，要我说，十天也不够。"

(3) 这家公司门脸儿很小，名字却叫"震宇"，意思是震惊宇宙，口气真够大的，可里面就经理和秘书两个人。

23. 他们爱怎么闹就怎么闹，**由他去**（yóu tā qù）

（说话人）不管、让他随便，他愿意做什么就做什么。也可说“随他去”。

(The speaker) does not control him; he can do as he pleases; he is a loose cannon. Also,“随他去”.

(1) 奶奶说：“一个小孩子家，爱穿什么就穿什么，由他去吧，你甭操这个心！”

(2) 李冰非要今天晚上就过去，小棠儿也只好由他去了。

(3) “这回我是彻底下了决心，随他去，甭管他干什么，我要再多一句嘴我都不姓马。”老马赌气似的说。

练　习

一、选用合适的词语填空：

落汤鸡　数得着　事儿妈　唱反调　由他去　铁公鸡　开小差　摇钱树
不听使唤　听见风就是雨

(1) 小伙子本来在家里已经把要跟姑娘说的话练习了好几遍，可今天一看见姑娘，他的舌头就 ________ 了，红着脸，一句也说不出来。

(2) 儿子找了个女朋友是外地的，我和他妈妈都不同意，可我们的话他根本不听，最后我们干脆也就不管了，________，反正这是他自己的事。

(3) 我愿意她买鲜艳点儿的衣服，可她偏要买黑的，要不就买灰的，老是跟我 ________，气得我不理她了。

(4) 李老师批评我说：“你怎么 ________ 啊！也不想想那些话有没有道理就跟着跑。”

(5) 我们决定请李科长一家去大富豪酒家吃饭，大富豪酒家是我们这儿 ________ 的高档饭店，厨师是从广州请来的。

(6) 从商店回来后爸爸悄悄地对我说：“你妈妈可真是个 ________，不是这个不好，就是那个不好，那么多名牌冰箱，她都不满意，下次你陪她去吧。”

(7) 这场雨来得还挺快，等我们跑回宿舍，一个个都跟

____________似的，幸好包在袋子里的书没有淋湿。

（8）镇海这是第一次跟着他们进山去，出发的时候还挺兴奋，可没过几天他开始想家了，再加上吃住都很艰苦，到了第五天他就____________，悄悄溜回了家。

（9）你要是借钱的话，别去找他借，去了也是白去，他是个____________，一分钱都不会借给你的。

（10）自从阿美来歌厅后，客人慢慢儿多了起来，很多人都是冲着阿美来的。刘老板看在眼里，喜在心上，他庆幸自己找到了一棵____________，只要有阿美在，就不愁没钱了。

二、用指定的词语完成对话：

（1）A：明天你可以给大伙儿表演一段舞蹈嘛，你以前不是学过吗？
B：不行，____________。（老皇历）

（2）爸爸：你不能什么都顺着他，钢琴都买来了，他说不练就不练了，那哪儿行啊！
妈妈：唉，他要是实在不愿意学，____________。（赶鸭子上架）

（3）小贩：小姐，您看看这条裙子，新来的，要不，小姐您再看看这条，也不错，进口的。
顾客：我都四十好几了，你别____________，听着不舒服。（A长A短）

（4）儿子：这事就交给我了，不就是几十万块钱的事吗？您放心好了。
爸爸：哟，你年纪不大，____________。（口气大）

（5）A：我自己能照顾自己，不会给你们添麻烦的，你就让我跟你们一起去吧。
B：那好吧，不过____________，遇到困难可不能哭鼻子啊。（丑话说前头）

（6）A：你甭着急去租房子，没必要花那钱，咱们是好朋友，你就住我这儿，住多久都没关系。
B：不，不，那不行，____________。（不是事）

（7）A：张工程师，我去找个小姐过来陪你跳个舞，好不好？
B：别，别，我不会，____________。（出洋相）

（8）爸爸：芳芳，这是刘师傅送来的烟和酒，我们可不能要，一会儿你替我给他送回去。

女儿：干吗呀？______________。（送上门）

（9）女儿：妈妈，这个箱子满了，衣服放不进去了，怎么办哪？

妈妈：你呀，______________。（死脑筋）

（10）A：这批产品其实也没什么大问题，你别太认真了，要是退回去损失就太大了。

B：损失再大也得退回去，要不然，______________。（砸牌子）

第十九课

我觉得他说在点子上了

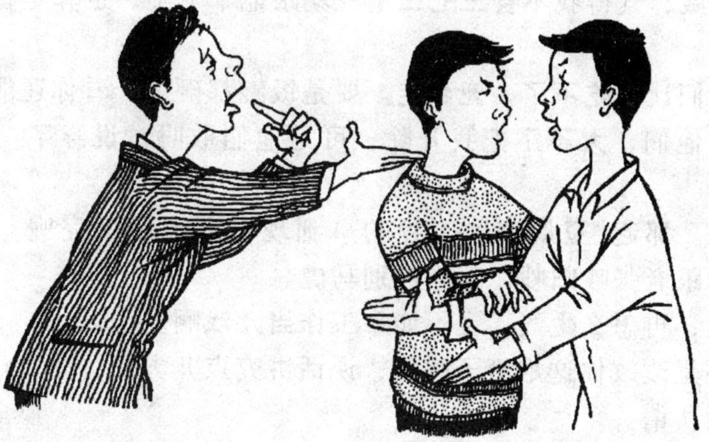

（小林一边看报纸一边自言自语，这时同事小刘走进来）

小刘：嘿，小林，你**没头没脑**地说什么呢？

小林：噢，是小刘啊，你来看，这儿有一篇文章，说的是北京的污染和环境保护的问题，他说应该下大力气，彻底整治北京的环境，要不北京就危险了，我觉得他**说在点子上**了。

小刘：没错儿，以前大伙儿的脑子里根本就没有环保这根弦，**走**了不少**弯路**。现在好了，从上到下都把环境保护当成头等大事了。

小林：要是早点儿动手，北京申办 2000 年奥运会就不至于输给悉尼了。这次北京申办成功，跟市政府这几年狠抓环境问题是分不开的，什么事光**唱高调**不行，得真干。

小刘：对，不能像以前似的说完之后就**没下文**了，更不能搞**一阵风**。

小林：你看咱们门口儿那个早市，把整条胡同弄得乱七八糟的，整治过好几回，可每回都是**走过场**，根本没解决问题。

小刘：这几天我看见好几个早市都撤了，马路旁边的违章建筑也拆了不少。

小林：要是那样敢情好，就怕是你**前脚**拆，他**后脚**盖。什么事嘴上说说和实际去做是**两码事**，说说容易，真去做就难了。

小刘：对，有的时候上边的政策挺好，可下面的人不干，常常是做**做样子**就完了。

小林：就像老张那样的，什么事到他们手里都没个好儿。

小刘：哎，昨天看见你和老张吵得那么厉害，我真是**倒吸一口凉气**，这么多年我还没见过谁敢跟他吵呢。不过，你在那么多人面前**揭**他的**老底儿**，一点儿**面子**也不给他**留**，他不恨你才怪呢，说不定哪天就**给**你双**小鞋穿**。我在旁边给你使眼色让你别说了，你看见没有？

小林：看见了，其实开始的时候我不想跟他吵，可他以为我怕他，想给我来个**下马威**，气得我**不管三七二十一**就跟他干上了，也算是替大伙儿**出**了**一口气**。

小刘：当心他们让你**吃不了，兜着走**。要是饭碗都砸了，看你还能说什么。

小林：我不怕他们，**大不了**把我开除，可是他们敢吗？**说穿了**，他们还是**心里有鬼**。

小刘：那倒是。那起"豆腐渣"工程的事到现在还没解决完呢。不过，我劝你，你跟老张吵**归**吵，工作可别马虎。

小林：那当然，再怎么生气，也不能**拿**工作**当儿戏**啊。

小刘：最好还是改改你这炮筒子脾气，说话讲究点儿方法。

小林：嗨，无所谓。

注　释

1. 弦（xián）：本指某些乐器上发出声音的线，脑子里的"弦"比喻某种认识、想法。
2. 早市：早晨卖东西（如蔬菜等）的市场。
3. 撤（chè）：除去，搬走。
4. 违章：违反规章、规定。
5. 敢情：这里表示当然，不用怀疑的意思。
6. "豆腐渣（zhā）"工程：指质量低下、偷工减料的建筑工程。

例　释

1. 你**没头没脑**（méi tóu méi nǎo）地说什么呢

比喻没有头绪、很突然。

Completely unexpected; one had no clue.

(1) 他默默地盯着电视，一副聚精会神的样子，再不开口。直到吃饭时，他才没头没脑地说了一句："要是不曾发生过多好。"大家都不知道他指的是什么，可又都不敢问。

(2) 他被郑师傅这没头没脑的问话弄糊涂了，一时不知道怎么回答才好。

(3) 这孩子说话经常没头没脑，这不，说着说着学校的事，忽然就转到别的上面去了，不过我们已经习惯了。

2. 我觉得他**说在点子上**（shuō zài diǎnzi shang）了

指出问题的关键或最重要的方面。

Put one's finger on it; cut to the heart of the matter.

(1) 每场戏唱完，我们都愿意让老张给总结一下儿，他说得虽然不多，可每句话都能说在点子上，让你心服口服。

(2) 要是不做深入的调查研究，不了解情况，那你的话根本不可能说在点子上。

3. **走**（zǒu）了不少**弯路**（wānlù）

犯错误、出现失误或因为方法不对而浪费力气等。

Go about something the wrong way; take a wrong path.

(1) 他们公司刚成立一年多，起步很晚，但晚有晚的好处，可以更多地借鉴别人的经验，少走些弯路。

(2) 虽然这些人在生活的道路上走过这样那样的弯路，但经过教育，他们还是会成为对社会有用的人的。

4. 光**唱高调**（chàng gāodiào）不行

说做不到的漂亮话。

Say things that sound good but are difficult to follow through on.

(1) 他在文章中指出，脱离实际地唱高调，说空话，没有任何用，要从小事入手，切实做好每一项工作。

(2) 老张在台上大谈学校的五年规划，有人在下面小声说："好听的高调谁都会唱，没有具体办法、措施，一切都是空话。"

5. 不能像以前似的说完之后就**没下文**（méi xiàwén）了

没有进展、结果或答复。

No further development; result unknown.

(1) 我们把材料整理好以后就交给了上级，可材料交上去后就没了下文，我们也不好催。

(2) 他把这件事交给儿子小马去办，小马又去托他的一个朋友，左等右等，十天都过去了，还是没有个下文，老马急，小马也急。

6. 更不能搞**一阵风**（yí zhèn fēng）

比喻行动时间短，不能持久。

For but a short period of time; fleeting.

(1) 老张让大家先别搬东西，再等等看，说不定只是一阵风，过几天就没人管了。

(2) 晓琴干什么事都是一阵风，就拿前一段来说，她忽然念起英语来了，磁带、书买了一大堆，可没过一个星期，就全扔到一边儿去了。

7. 可每回都是**走过场**（zǒu guòchǎng）

走形式，不认真去做。

Do something as a mere formality.

(1) 我们心里都明白，说是公平竞争，其实就是走个过场，厂长的位子早就有人了。

(2) 在农村，村干部对那些政治活动并不热心，布置下来任务就采用拖的方法，实在不能拖就走走过场，说到底，让全村人吃上饭是最重要的。

8. 就怕是你**前脚**（qián jiǎo）拆，他**后脚**（hòu jiǎo）盖

A 前脚 V1，B 后脚 V2 某人（A）刚刚做完一个动作，另一个人（B）紧跟着做了另一个动作。

Person B does something as soon as person A has finished his action.

(1) 昨天晚上因为太累了，我呆了一会儿就走了，后来丁兰告诉我，我前脚走，马力后脚就到了，看见我不在，他很失望。

(2) 那时候我们根本在家待不住，妈妈前脚出门，我们后脚就跑到街上去玩，估计妈妈快下班了再回家。

9. 什么事嘴上说说和实际去做是**两码事**（liǎng mǎ shì）

没有关系或完全不同的两件事。也说“两回事”。

Two entirely different or unrelated things. Also，“两回事”.

(1) 看见店里还有空的地方，他们就在卖肉的柜台对面，又搭起个柜台卖茶叶。过路的人都纳闷儿，茶叶和猪肉是两码事，怎么能在一起卖呢？

(2) 看见我接到通知高兴的样子，大森冷冷地说：“通知你去面试和人家录取你是两码事！别高兴得太早了。”

10. 常常是做**做样子**（zuò yàngzi）就完了

只是表面上说说并不真正去做，或假装做某事，不是真心做。

Say something and not follow through; pretend to do something.

(1) 周伯伯的“十条家规”不是随口说说做样子的，他与伯母不但自己模范执行，而且对亲属们严格监督。

(2) 姐姐劝他说：“我知道你现在还恨爸爸，可家里还有妈妈呢，你哪怕做做样子也该回去住两天，要不大家都会说你不懂事的。”

11. 我真是**倒吸一口凉气**（dào xī yì kǒu liáng qì）

形容人非常吃惊、害怕的样子。

Gasp in surprise or fright.

(1) 于立波在旁边悄悄地打量着季清，不由地倒吸了一口凉气：“这个人的眼睛里透出一股凶劲儿，让人看了害怕。”

(2) 大家听到这个消息都倒吸了一口凉气，担心了很长时间的事终于发生了。

(3) 开始的时候听不太清楚，等真听清楚了屋里的谈话内容，秀莲顿时倒吸一口凉气，差点儿站不住了。

12. 你在那么多人面前**揭**（jiē）他的**老底儿**（lǎodǐr）

揭露出隐藏着的内情或底细。

Expose the real story; dig up somebody's unsavory past.

(1) 连生以前在村子里做过不少荒唐事，他很怕家乡的人到这儿来揭他的老底儿。

(2) 他心里很纳闷儿，事情都过去二十多年了，是谁在领导那儿揭了他的老底儿？

13. 一点儿**面子**（miànzi）也不给他**留**（liú）

留面子　照顾某人情面不使他难堪、为难或不好意思。

Leave somebody their face or pride.

(1) 李阿姨说：“孩子也有自尊心哪，你得给他留点儿面子，别在他同学面前说他，有什么话等没人的时候再说。”

(2) 老麻能力挺强，可人缘儿不太好，因为他说话直来直去，从来不给别人留面子，所以得罪了不少人。

14. 说不定哪天就**给**（gěi）你双**小鞋穿**（xiǎoxié chuān）

给（某人）穿小鞋 暗中刁难、打击某人。

Make things hard for somebody by abusing one's power.

(1) 他刚来的时候，批评过工作不认真的小丽，恰巧小丽是厂长的亲戚，等他了解到这些背景时，厂长早就给他穿了几次小鞋，他算是获得了一次"血"的教训。

(2) 你要是不顺着他，或是什么地方得罪了他，他就故意给你小鞋穿，让你天天难受可还说不出来。

15. 想给我来个**下马威**（xiàmǎwēi）

一开始就向某人显示其厉害或威严。

Deal somebody a head-on blow at the first encounter; try to establish dominance on first meeting someone.

(1) 他们开始谈论起婚事，小美要热闹，朱新要节省，俩人意见不一样。小美给朱新来了一个下马威，声称要么听她的，要么就分手。

(2) 刘主任一进来就给几个年轻人来了个下马威，板着脸说："你们老实告诉我，昨天你们干什么了？别以为我什么都不知道。"

16. 气得我**不管三七二十一**（bùguǎn sān qī èrshíyī）就跟他干上了

不顾一切，不管不顾。

Regardless of the consequences; no matter what others may say.

(1) 胡强醒了以后，觉得很渴，起床看见小桌上放着一碗茶，他也不管三七二十一，端起来一口气就喝光了。

(2) 看见小周手里的刀，她不管三七二十一就扑了过去，一把抢过来，放回厨房里。

(3) 他不管三七二十一，把地上的杯子、瓶子什么的全都扔了出去。

17. 也算是替大伙儿**出**（chū）了**一口气**（yì kǒu qì）

出（一）口气 发泄心里的愤怒、不满。

Give vent to one's anger or discontent.

(1) 看见来人被她骂跑了，她得意得脸都红了。她一直想要好好教训教训那个讨厌的书琴，这回算是出了口气。

(2) 小王说："你别哭了，明天我就去替你出出这口气，看他还敢不敢欺负你。"

(3) 这时他什么也不想，只想打小方一顿出口气。

18. 当心他们让你**吃不了，兜着走**（chī bu liǎo，dōuzhe zǒu）

自己造成的严重后果，承受不了也得承受。

Land oneself in serious trouble; bear the consequences of one's actions.

(1) 宋生子想，要是这个女人真的死在这儿，警察一来，他可就吃不了兜着走了。

(2) 酒醒后，他庆幸没遇到一些有坏心的朋友，要是他喝醉以后说的那些话被传了出去，他就得吃不了兜着走了！

(3) 小浩问："他以后不会再来找麻烦了吧？"哥哥大笑着说："他敢？要是再来我让他吃不了兜着走。"

19. **大不了**（dàbuliǎo）把我开除

大不了(做某事) 最严重、最坏的结果是做某事，可是说话人并不在乎。

At the worst; if the worst comes to the worst (conveying a careless attitude).

(1) 爸爸劝道："算了算了，一斤豆腐值不了几个钱，坏了就坏了，大不了今天晚上不吃，让她以后注意点儿就是了！"

(2) 在去医院的路上，他想儿子不会有什么事，大不了今后落下一点儿残疾，所以一路上他很镇静。

20. **说穿了**（shuōchuān le），他们还是心里有鬼

说出事情的实质或本质，或说出实情。

Reveal or expose something's true nature.

(1) 老人说："你看那些士兵，那么年轻，明天，他们就要上前线了，说穿了就是排队去送死啊。"

(2) 他总是说："父子也好，夫妇也好，兄弟也好，说穿了，都是朋友关系，只不过形式稍微有点儿不同罢了。"

21. 他们还是**心里有鬼**（xīn li yǒu guǐ）

有不可告人的打算或者事情。

Have a guilty conscience.

(1) 我告诉他说，小张这几天有事，不能来，他听了以后，笑着说："他有什么事啊，他是心里有鬼，不敢来见我。"

(2) 小丽听出了国美话里讽刺自己的意思，心里很生气，可没敢表现出来，那样反而显得自己心里有鬼。

22. 你跟老张吵**归**（guī）吵，工作可别马虎

A归A　虽然有A这样的情况，但是不产生相应的结果。

Despite A; in spite of A.

(1) 肖东心想，你跟女朋友出去旅游，找我来替你上课，这不是不平等吗？可是，想归想，三个星期的课肖东还是一堂不少地教了。

(2) 玉德爷爷伸手拍打着李铁说："孩子啊，吵架归吵架，可到底还是一家子人，还是得回家看看你父母。"

(3) 二婶一个人生了半天气，可生气归生气，看看到了做晚饭的时间了，她还是到厨房里忙开了。

23. 再怎么生气，也不能**拿**（ná）工作**当儿戏**（dàng érxì）啊

拿（某事物）当儿戏　比喻对某事物不认真、不负责，开玩笑一样。

Treat something as a game; not take something seriously.

(1) 爷爷说："你是司机了，可不能拿别人的性命当儿戏呀，从今天开始不准再喝酒了。"

(2) 王校长指出，教育是关系到国家未来的大事，决不能拿教育当做儿戏，教材不能说改就改，说变就变。

练　习

一、选用合适的词语填空：

穿小鞋　下马威　一阵风　说穿了　两码事　出口气　没头没脑　不管三七二十一　倒吸一口凉气

(1) 他们饿了一天了，看见桌子上的吃的，________，抓起来就往嘴里塞，哪儿还顾得上洗手啊。

(2) 第一场比赛他们就派出了最好的队员上场，想给我们来个________，让我们在心理上先输给他们。

(3) 姐姐说她晚上睡得晚，开灯看书恐怕影响我休息，其实________她是想一个人住这个房间，那些都是借口而已。

(4) 我很快就意识到我说错了，我所说的"朋友"，是一般意义上的"朋友"，和她理解的"朋友"完全是________。

(5) 大伙儿来到办公室一看，都不禁________，只见保险柜大开着，放在里面的钱全都不见了。

(6) 他给队长提过意见后，队长倒是不再骂人了，可那些又脏又累的活全让他去做，他知道这是队长给他 ________________，可他并不在乎。

(7) 大龙对妹妹说："别哭了好不好？都怪我不好，把你的小狗弄丢了，要不然你就狠狠地打我几下儿________________，你哭狗也找不回来了。"

(8) 我们几个正围着电视看一场足球比赛，江明德推门走进来，________________地问了一句："昨天谁洗衣服了？"我们一愣，一时没反应过来。

(9) 小姨听说宝贝女儿要考托福出国，急得跑来问妈妈怎么办，妈妈说："你先别理她，姗姗这孩子你又不是不了解，干什么都是________________，过几天你让她考没准她都不考了。"

二、用指定词语完成下面的句子：

(1) A：昨天我有事，十点多就走了，你什么时候走的？一定跳到半夜吧？
B：哪儿啊，________________（A 前脚 V，B 后脚 V）

(2) A：今天我不小心把她的水壶摔坏了，她回来我怎么对她说呀？
B：不就是个水壶吗？________________。（大不了）

(3) A：我们最好先好好研究研究，订个计划，别着急动手。
B：对，________________。（走弯路）

(4) A：你现在是个大款了，你大概忘了吧？十多年前你把我养的鸡偷走吃了。
B：哈哈哈，老张，________________。（揭老底）

(5) 儿子：我们厂长今天说了，从明天开始让我负责那几台机器，哈，这回轻松喽！
爸爸：这可不是轻松的事，________________。（拿……当儿戏）

(6) A：我就是跟她开个玩笑，她怎么就不高兴了呢？
B：人家是个大姑娘了，________________。（留面子）

(7) A：遇到这种事要冷静，多分析分析再说话，说的时候还要注意分寸。
B：这事没发生在你身上，________________。（唱高调）

(8) 丈夫：工人的素质和技术跟不上，光有先进的机器管什么用啊！

妻子：你说了那么多话，只有这句话＿＿＿＿＿＿＿。
（说在点子上）

（9）弟弟：小刚要是还抢我的东西怎么办哪？
哥哥：他要是还抢，＿＿＿＿＿＿＿＿。（吃不了兜着走）

（10）A：老张昨天不是说再也不抽烟了吗？怎么今天……
B：他那个人，＿＿＿＿＿＿＿＿。（A 归 A）

（11）A：你们人不够也别找我呀，我没学过太极拳，一点儿也不会。
B：没关系，人家来照个相就走，你＿＿＿＿＿＿＿＿。（做样子）

（12）A：你的申请怎么样了？
B：早就交上去，可是＿＿＿＿＿＿＿＿。（没下文）

第二十课

他给我们来了个空城计

（张海和妻子明华一边吃饭一边聊天儿）

张海：今天下午我**费了九牛二虎的力气**才把这个桌子弄进来。

明华：咱们这间屋子本来就小，桌子放在这儿**碍手碍脚**的一点儿也不方便。

张海：没办法，我得有个地方备课呀，你看这桌子还可以吧，张老师搬家不要的。

明华：说实话，**不怎么样**。我说你呀，可**真是的**，人家不要的东西，还当成个**香饽饽**似的往回搬，**脏了吧叽**的，样式也不好看。

张海：你别**横挑鼻子竖挑眼**了，白来的，凑合着用吧，这破屋子不值得买新的，**有朝一日**住上好房子再买吧。

明华：唉，咱们**喝**了这么多年**墨水儿**，到现在连个像样的家都没有，老**打游击**，要是能有个两居室就好了，一间当卧室，一间当书房。

张海：你老是想**天上掉馅儿饼**的美事，你没看见，咱们这儿**有头有脸**的教授不也就是两居室嘛，咱们俩**算老几**啊，也想要两居室？别**白日做梦**了，就这破房子还是**求爷爷告奶奶**才住上的。

明华：哎，你们几个找老王谈房子的事没有？他是不是又给你**开空头支票**了？

张海：大概老王听说我们要找他，就给我们来了个**空城计**，我们几个连他的影子也没看见，后来我好不容易找到了赵科长。

明华：他怎么说？没像上次似的跟你**吹胡子瞪眼**吧？

张海：这次没有。他先给我**吃了个定心丸**，说肯定有我们的房子，后来就是老一套了，说年轻人多克服克服啦，还说，有个地方住就不错了，不要挑三拣四的。听得出来是在说我们。

明华：他真是**站着说话不腰疼**，让他来咱们这儿住几天看，他就不这么说了。咱们上回就是听了他的，**上了他的圈套**才没分到房，这次要是还不给咱们房子，咱们也学小李，给他来个软磨硬泡。

张海：唉，每回分房大家都**使出浑身解数**，**绞尽脑汁**地找门路，托关系，有的多年的朋友为了房子**撕破脸皮**。想想真没劲，可又有什么法子呢，**僧多粥少**啊！

明华：告诉你，现在不少人都在打那几套房子的主意，咱们这次可不能掉以轻心，得盯紧点。

张海：是啊，这次要是分不上房，以后都得自己掏钱买了，一套房子十多万呢！

明华：这真是天文数字啊，咱们每个月就那点儿少得可怜的工资，一点儿外快也没有，光靠勒紧腰带，**猴年马月**也买不起呀。

张海：要真自己买就得跟银行贷款，有人算过，大概每个月还千把块钱。

明华：一想到借那么多钱，我这心里就沉甸甸的，欠债的日子不好过呀。

张海：你那是老观念，人家国外买房子、买车什么的，都贷款。你呀，先别想那么多了，咱们**走一步说一步**吧。

注　释

1. 软磨硬泡：比喻为了达到目的使用各种各样的办法。
2. 掉以轻心：表示对某事不重视，不认真对待。
3. 少得可怜：意思是非常非常少。
4. 外快：指正常收入以外的收入。
5. 勒（lēi）紧腰带：这里指（为了攒钱）在生活上很节省，不吃好的。
6. 贷款：跟银行借钱。
7. 沉甸甸：形容沉重。

例　释

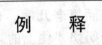

1. 今天下午我**费了九牛二虎的力气**（fèile jiǔ niú èr hǔ de lìqi）才把这个桌子

弄进来

比喻花了非常大的力气，很不容易。也说“费了九牛二虎之力”。

Spend the strength of nine bulls and two tigers; exert tremendous effort. Also, “费了九牛二虎之力”.

(1) 我们费了九牛二虎的力气帮老张把喝醉了的小王抬进了车里，我们三个人都累出了一身汗。

(2) 陈大哥费了九牛二虎之力，总算挤进了人群，看见了卖票的窗口。

2. 桌子放在这儿**碍手碍脚**（ài shǒu ài jiǎo）的一点儿也不方便

碍事，妨碍人做事，不方便。

Be in the way; be a nuisance; hinder.

(1) 那个大柜子正摆在门口，出来进去碍手碍脚的，我们想把它搬到门后面，可奶奶就是不让动。

(2) 以前我老是嫌他在厨房碍手碍脚，就不让他帮我做饭，结果现在他什么饭也不会做。

3. 说实话，**不怎么样**（bù zěnme yàng）

不太好，不好。

Not very good.

(1) 我看过他的几首诗，说实在的不怎么样，可不知道为什么那么多人喜欢。

(2) 李主任对我没有半点好印象，他给我的印象更不怎么样，我们俩是谁看谁都不顺眼。

(3) 他的这匹马，实在不怎么样！都说它是青马，可其实是灰不灰白不白的颜色。

4. 我说你呀，可**真是的**（zhēn shi de）

（某人）真是的 说话人对某人不满、批评，语意比较轻。

The speaker is discontented with somebody or gently criticizes somebody.

(1) 妈妈走出来说：“小青，你可真是的，怎么让人家站在门口啊？请你的朋友进来坐坐呀。”

(2) 奶奶一边给我们找干衣服让我们换上，一边说：“你们俩也真是的，怎么不躲躲雨呢？要是冻病了可怎么办？”

(3) 高明不好意思地说：“咳，真是的，我把时间记错了，让你们白等了我一天。”

5. 还当成个**香饽饽**（xiāng bōbo）似的往回搬

比喻非常好的、受欢迎的东西或人。

Someone or something popular.

(1) 在过去，这个工作可是个香饽饽，钱又多，又不累，一年还能有几套工作服。

(2) 你又年轻，又有学问，在那些姑娘们的眼里，就像个香饽饽，还用我给你介绍？

(3) 干你们这行的现在成了香饽饽了，抢都抢不到手，你要是愿意来我们这儿，我们还能不欢迎？

6. **脏了吧叽**（zāng le bājī）的，样式也不好看

A + 了吧叽 很、非常，带有不喜欢的意思。A 是一个单音节形容词，如"脏、苦、累、湿、乱、傻、臭、酸"等。

Very, extraordinarily. It connotes the speaker's dislike. A is a monosyllabic adjective, such as "脏", "苦", "累", "湿", "乱", "傻", "臭" and "酸".

(1) 一个人爬上树，摘了几个果子，我们尝了尝，酸了吧叽的，一点儿也不甜。

(2) 王老师说："刚下完雨，地上湿了吧叽的，今天没法儿踢球了，你们都回家吧。"

(3) 小王想，看他傻了吧叽的样子，能有什么本事，还不是靠他爸爸的关系。

7. 你别**横挑鼻子竖挑眼**（héng tiāo bízi shù tiāo yǎn）了

到处挑毛病，看什么都不顺眼。

Be hypercritical; find fault with everything.

(1) 四嫂说："他在外面受了累、受了气，我的麻烦就大啦！一回来就横挑鼻子竖挑眼，倒好像是我做错了什么似的！"

(2) 我妈妈最怕大姑妈来，大姑妈一来就横挑鼻子竖挑眼，摆的放的都不合适，都得按她的意思重来，妈妈听着她的训斥，还不能表现出不高兴。

8. **有朝一日**（yǒu zhāo yí rì）住上好房子再买吧

将来有一天。

Some day; one day.

(1) 他的心里在想：有朝一日，我一定得登台唱一回，让他们瞧瞧我也会

唱戏！

(2) 她渐渐地学会了以幻想作安慰。她老想有朝一日，她会忽然遇到一个很漂亮的青年男子，俩人一见倾心。

(3) 他想，如果有朝一日再见到她，一定把这些话告诉她。

9. 咱们**喝**（hē）了这么多年**墨水儿**（mòshuǐr）

有学问、有知识。

Be learned; knowledgeable.

(1) 留学好几年，连什么是XO都说不上来，怪不得人家说我们洋墨水都白喝了。

(2) 别人的话我不信，只有二哥说的话我从不怀疑，因为他是喝过不少墨水的人，有一肚子的学问。

(3) 爸爸常常说大哥是墨水喝得太多喝傻了，连一些人之常情都不懂。

10. 老**打游击**（dǎ yóujī）

（做某事）没有固定的地点。

Have no fixed place of doing something; with no base of operation.

(1) 开始两年，他们连租房的钱都没有，只好到处打游击，所以手里一有钱他们就赶紧在郊区租了间平房。

(2) 前几年他们三个人常常在几个歌厅打游击，去年认识了一个唱片公司的，给他们出了张专辑，才算有了点儿名气。

11. 你老是想**天上掉馅儿饼**（tiānshang diào xiànrbǐng）的美事

比喻不花力气就能得到好处（这当然是不可能的）。

(Pie falls from sky) of course there are no free meals, you have to work to achieve something.

(1) 世界上没有天上掉馅儿饼那样的事，你不去努力，不去争取，你就什么也没有。

(2) 你不要以为做生意就那么容易，天上掉馅儿饼似的，钱就拿到手了。

12. 咱们这儿**有头有脸**（yǒu tóu yǒu liǎn）的教授不也就是两居室嘛

比喻有地位或者有名（的人）

A person who is famous or holds a high position in society.

(1) 我父亲是厂长，在当地算是有头有脸的人物，所以老师也很照顾我，经常是别人都在背书，我一个人溜出去玩。

(2) 二十多年前他只是个小职员，如今可是这镇上数一数二、有头有脸的人物，就住在那边的那座二层小楼里。

(3) 由于工作的关系，我认识了不少有头有脸的人。

13. 咱们俩**算老几**（suàn lǎojǐ）啊

用于反问句中，表示某人不是什么重要的人。

It is used in a rhetorical question. It means that somebody is a nobody.

(1) 这是我的家，我干什么都是我的自由，你算老几？你管不着！

(2) 这事你可以找政府，也可以去找派出所，不要来找我，我算老几？我管得了吗？

(3) 人家有那么大的学问，咱算老几呀！怎么敢跟人家讨论问题啊。

14. 别**白日做梦**（bái rì zuò mèng）了

幻想，想不可能的事。也说“做白日梦”。

Build a castle in the sky; pursue something unattainable; pipe dreams. Also,“做白日梦”.

(1) 他苦笑着说：“您别给我费心了，没有哪个姑娘会看上我的。我也不做那白日梦了，看我这副样子，能养得活老婆孩子吗？”

(2) 老张一听我提的条件，马上摆摆手说：“几百块钱就想租个一居室，还是在市中心？怎么可能呢？你别在这儿白日做梦了。”

15. 就这破房子还是**求爷爷告奶奶**（qiú yéye gào nǎinai）才住上的

比喻为某种目的去到处求别人。

Beg everyone.

(1) 我们俩到处求爷爷告奶奶，终于在那家工厂后面找到了一间小平房，搬了进去。

(2) 要是让亲戚朋友知道他的钱都是求爷爷告奶奶地借来的，那他就没脸再见他们了。

(3) 爸爸叹息着：“要是你有本事，考上个大学，就不用我求爷爷告奶奶地帮你找工作了。”

16. 他是不是又给你**开空头支票**（kāi kōngtóu zhīpiào）了

许诺、答应别人却不去实现。

Make an empty promise.

(1) 他的钱每个月全数交给妻子，当他暗示说他要请请客的时候，妻子总是说："好好做你的科长，请客干什么？"他于是就不敢再多说什么，而只好向同事们开空头支票。他对每一个同事都说过："过两天我也请客！"可是，永远没兑现过。

(2) 关心社会的作者们提出了社会上存在的种种问题，但他们最后也不过是开了一大堆解决问题的空头支票而已。

17. 给我们来了个**空城计**（kōngchéngjì）

指别人认为某地应该有人，可实际没有人。

Empty-city stratagem; puting up a bluff.

(1) 他现在很怕回家，家里老坐着些求他办事的、替别人来求情的、送礼的亲戚、朋友，让他很头疼。没办法了，他干脆把门一锁，来个空城计，和老伴住到了女儿家。

(2) 我听到老刘在门口大声地说："我说，你们这儿怎么大白天地唱起空城计来了，办公室里的人都哪儿去了？"

18. 没像上次似的跟你**吹胡子瞪眼**（chuī húzi dèng yǎn）吧

比喻生气、发火的样子。

Fume with rage.

(1) 他觉得对下属不用讲什么礼貌，所以他对他手下的人永远是吹胡子瞪眼睛，现在要改也改不了啦。

(2) 一看见我在纸上写的那两句话，老头子气得吹胡子瞪眼，说从此以后再也不管我了。

19. 他先给我**吃**（chī）了个**定心丸**（dìngxīnwán）

比喻放心、情绪稳定、思想安定。

Be reassured or comforted.

(1) 她看着手里的这封信，像吃了定心丸一样，心情一下子轻松了不少。

(2) 张经理告诉他们一切费用都由公司出，先给他们吃了颗定心丸，然后一一给他们指派了任务。

(3) 村长说，有了这些粮食，村民们就好比吃下了定心丸，世道再乱也不怕了。

20. 他真是**站着说话不腰疼**（zhànzhe shuōhuà bù yāo téng）

比喻由于跟自己没关系或不了解情况等批评某人或某事，含有贬义。

Someone criticizes somebody without being close to or understanding their situation. It contains a derogatory sense.

(1) 表姐忿忿地说："他们老让我也穿得时髦点儿，真是站着说话不腰疼，就那么点儿钱，还有俩上学的孩子，我拿什么去时髦啊？"

(2)"大学教授去卖花，这未免有点儿不雅吧？""先生，您可真是站着说话不腰疼！您不知道抗日战争期间，大后方的教授，穷苦到什么程度！"

(3) 你别在这儿站着说话不腰疼了，爷爷能听我的话？不把我打出来才怪呢！

21. **上**（shàng）了他的**圈套**（quāntào）才没分到房

比喻被骗，上当。也说"中圈套"。

Take the bait. Also,"中圈套".

(1) 我知道他们会把我说的每一个字都告诉给厂长，我才不上他们的圈套呢，甭管他们说什么，我就是一句话也不说。

(2) 前几天他们还恨不得咬你两口，今天突然要请你吃饭，这里面一定有问题，你可得小心点儿，别中了他们的圈套。

(3) 我一走进瘸子的家就发觉上了瘸子的圈套。屋里有很多人，都像在等我。瘸子好好的，根本没受伤。

22. 每回分房大家都**使出浑身解数**（shǐchū húnshēn xièshù）

用尽办法、手段和本事。

Bring all one's skill into play; pull out all the stops.

(1) 客人来的那天，我母亲做了好些菜，可以说使出了浑身解数，饭菜相当丰盛，客人们吃得很满意。

(2) 陆建的额头上冒出了汗珠，他使出浑身的解数，把手里的三张牌洗得让人眼花缭乱，可老头儿还是一下子就说出了红桃K。

(3) 他不放过任何机会，使出浑身解数想吸引那个女孩的注意，可人家连看都不看他一眼。

23. **绞尽脑汁**（jiǎojìn nǎozhī）地找门路

比喻努力地想、很费脑筋。

Rack one's brain.

(1) 为了这个报告，小林在家绞尽脑汁地想了三天，最后总算写了出来。

(2) 编剧和导演们可以说绞尽脑汁了，可他们的电影总是不对观众的胃口。

24. 有的多年的朋友为了房子**撕破脸皮**（sīpò liǎnpí）

不顾双方的情面。

Have no respect for somebody's feelings.

(1) 姐姐和她婆婆虽然也有矛盾，但她们谁也不愿意撕破脸皮，所以表面上还算合得来。

(2) 原来关系挺不错的邻居，现在竟然为了鸡毛蒜皮的小事撕破脸皮，真不值得。

(3) 有时她也想撕破脸皮把他们大骂一顿，出出心里的气，可这只是在脑子里一闪，她受的教育不允许她这样做。

25. **僧多粥少**（sēng duō zhōu shǎo）啊

比喻东西少，人多，不能每个人都分到。

Too many monks but too little gruel: not enough to satisfy everyone; not enough to go around.

(1) 进修的名额只有三个，僧多粥少，这让王主任很头疼，让谁去不让谁去呢？

(2) 两个工厂合并以后，原厂的工人只能留下六十个，在这种僧多粥少的情况下，年轻的、懂技术的就占了优势。

26. **猴年马月**（hóu nián mǎ yuè）也买不起呀

指不可能的或不知道的年月。也说"驴年马月"。

The time will never come. Also, "驴年马月".

(1) 几年下来，他们厂欠了银行两百多万元，这么多钱，猴年马月也还不清啊！

(2) 看我织毛衣那么慢，小张笑着说："就你这个速度，猴年马月你也穿不上，算了，还是我帮你织吧。"

27. 先别想那么多了，咱们**走一步说一步**（zǒu yí bù shuō yí bù）吧

根据实际情况再做决定，不事先做计划。

Take one step and look around before taking another; do something on the fly; improvise.

(1) 现在事情变化太快了，以后的事谁也说不准，咱们还是走一步说一步吧。

(2) 既然大家都没有个主意，咱们就走一步说一步，到那儿以后咱们再商量。

练　习

一、理解下面加线的词语：

(1) 继母（stepmother）从屋里出来，见他又喝醉了，就劝他说："长海，别喝那么多酒，对身体不好。"他借着酒劲儿，瞪着眼说："你算老儿？也配管我！你从哪儿来的回哪儿去！"继母一下子呆住了，眼泪流了下来。

(2) 我知道老张那些话是说给我听的，我心里很生气，可想想自己只是个小秘书，要是跟他撕破脸皮地大吵一顿，只会给自己带来麻烦，所以只好装作没听见。

(3) 桂芬心里很清楚，婆婆这样横挑鼻子竖挑眼地看不惯自己，给自己气受，就是因为自己家里穷，没带来多少嫁妆（dowry）。

(4) 小王一进门就说："马大姐，您可真是的，打扫办公室您怎么没通知我一声？这么多活儿全让您一个人干了，多不合适！"

(5) 他们没有钱做广告，为了让人们知道他们的产品，他们就求爷爷告奶奶地找商场的售货员帮他们向顾客介绍、推荐他们的产品。

二、选用合适的词语填空：

有头有脸　香饽饽　打游击　白日做梦　猴年马月　僧多粥少
绞尽脑汁　吹胡子瞪眼　走一步说一步　费了九牛二虎的力气

(1) 刚建校的时候，没有那么多的教室，所以我们上课也就没有固定的地方，经常是________________，有一段时间我们就在一座破庙里上课，条件非常艰苦。

(2) 那张木床又大又重，我和姐姐连拉带推，________________才把它搬到门口，可是我们没有办法把它弄出门去。

(3) 老人看着地里已经该割的麦子发愁，孩子还小，帮不上忙，就靠自己的两只手，这么一大片的麦子________________也割不完哪！

(4) 上中学的时候，他很不引人注意，没有多少人知道他，可没想到，这几年他成了我们这儿________________的人物，走到哪儿后边都跟着一大帮人。

（5）老张说：“我们都知道他那样对你是不对的，可他是大经理，你想让他来给你赔礼道歉，那真是________了。”

（6）去年我们打算派两个人去上海学习，结果报名要求去的有二十多人，________，所以最后我们只好采取考试的方法。

（7）平时他们俩关系好的时候，并不怎么理我，可一旦他们俩吵架了，我就成了________，俩人都拼命讨好我，想把我拉到自己的一边。

（8）眼前这个人看着很眼熟，可是我________也想不起来在哪儿见过他。

（9）A：要不咱们再好好商量商量，也许能找到个好办法。
B：算了，________吧，谁知道明天又有什么新变化。

（10）没等我把话说完，他就________地骂我不会办事，还说要炒我的鱿鱼。

三、用指定词语完成下面的对话：

（1）A：我跟李先生说了以后，李先生答应帮忙，还说他可以再找来几个专家。
B：太好了，现在我总算是________。（吃定心丸）

（2）爸爸：这次你要是赢了，你想要什么我给你买什么。
儿子：算了吧，________。（开空头支票）

（3）儿子：这块地说方不方，说圆不圆，我不知道怎么去量（measure）它的面积。
爸爸：你呀，________，真没用。（喝墨水）

（4）A：我给你介绍的那本书不错吧？听说最近还获了什么奖了呢！
B：说实话，________。（不怎么样）

（5）A：那个人看上去很老实，他说只要交100块钱的押金（deposit）就行。
B：现在骗子很多，你________。（上圈套）

（6）A：明天又是礼拜天了，也许他们还会来，真烦人！
B：干脆，咱们________。（空城计）

(7) A：人家小丽帮了你那么多忙，你可别忘了她呀。

B：________________。(有朝一日)

(8) A：昨天你们跟清华大学的那场篮球打得怎么样？

B：快别提了，________________，可还是输了。(使出浑身解数)

索　引

D

E

F

Z